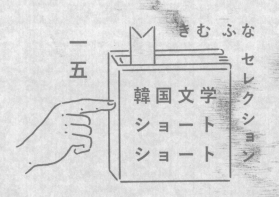

きむ ふな セレクション

一五

韓国文学
ショート
ショート

ニューヨーク製菓店

キム・ヨンス 著

崔真碩 訳

1

私はこの小説だけは鉛筆で書くことにした。どうしてそうしたのかはわからない。ただそうしなければならないように思えた。考えてみると、鉛筆で小説を書いたのはだいぶ前のことである。

だいぶ前のことからこの小説は始まる。

いまだに私は、ニューヨーク製菓店がいつ店を開けたのか正確にわからない。私が生まれた時、そこにニューヨーク製菓店はあった。幼かった時、母親にこう訊いたことがあった。

「お母さんはいつから商売を始めたんですか?」

冬になれば鼻水をたらし、袖の端をてかてかさせた小学生の頃であった。

〇〇三

「お前が生まれるずっと前に始めたんだよ」
ニューヨーク製菓店の暖炉の前に座り、テレビの画面と編み物の針をほぼ同時に見ながら母親が言った。その頃、私たち兄弟は育ち盛りであった。お盆も過ぎて客が減る秋から初冬まで、母親は暖炉の前の席に座布団を敷いて座っては、あまり着ないセーターを解いて新しいセーターを編んだ。母親がセーターを編む頃から、私たちはみんなクリスマスシーズンが来るのを切に待ちはじめた。

母親もそれがいつだったかよくわからないと言ったのか、あるいは私が幼すぎたせいで聞いても忘れてしまったのかもしれない。しばらくすると、そんなことはそれ以上気にならなかった。自分の問題だけでたいへんだった。ニューヨーク製菓店は私が生まれる前からそこにあったから、死んだ後にもそこにあるものと気ままに考えていたようだ。もちろん、人生はそういうものではない。

この小説を書きながらよくよく考えてみると、いつだったか、母親が店を見るために製菓店の奥の小部屋に生まれたばかりの姉をひとり放っておくことが多かったので、

○○四

そのことをずっとすまないと思っていたと言ったことを思い出した。私が生まれた時にはそんな部屋はなかった。

「どこにそんな部屋があったのですか？」

暖炉で凍った足をぬくめるか、製菓店の入り口を行ったり来たりしながら訊いたと思う。

「あの水槽のあるところまでが部屋だったよ。あの頃は家がなくて、ひとつの部屋でみんな寝てご飯も食べていたよ。ほほほ」

幸いにも私が生まれた時には別に暮らす家があった。とどのつまり、私以外の兄弟はニューヨーク製菓店で生まれたわけである。あんパンやクリームパンのように。みにくいアヒルの子でもあるまいし、兄弟の間にそんな風に差異があるのはあまり気持ちのいいものではない。姉は一九六五年生まれである。だとすれば、ニューヨーク製菓店が店を開いたのは一九六五年以前のことになるわけだ。ベトナム派兵が決定され、李承晩（イスンマン）が店をハワイで死に、大学生たちの反対のなかで日韓協定が調印された頃だった。そんな昔からニューヨーク製菓店はそのあらゆることが私の生まれる前に起こった。私はニューヨーク製菓店で生まれたわけでもないのに、ニューヨークそこにあった。私はニューヨーク製菓店で生まれたわけでもないのに、ニューヨーク

製菓店の末っ子と呼ばれた。

ソウルで偶然、同郷の人に会うと今でもやはりニューヨーク製菓店の話が出る。みんな私よりも先に生まれた人たちだ。駅前にあったと言えばだいたい思い出す。
「あら、女子高生の頃にそこで合コンをしょっちゅうやったのに……」
いつだったか仁寺洞（インサドン）の飲み屋で会ったある詩人が私にこう言ったことがあるように思う。その日、私は酒にひどく酔っていた。私はこう言っただろう。
「もう製菓店はやっていません」
ニューヨーク製菓店を憶えている同郷の人に私がよく口にする言葉である。しかし、人々が私の言葉に驚いたり衝撃を受けることはほとんどない。女子高生の頃に合コンまでやったところなら、そしてもうこれ以上その場所がこの世に存在しないのなら、それは驚いたり衝撃を受けたりするべきことではないのか？　私は時々話をしているうちに間の抜けた表情でこんな思いに浸り、しばし故郷話に熱を上げる相手を困らせもする。同郷の人と話す時、私はよく文脈を外れる。

〇〇六

私はニューヨーク製菓店があったあの街から消えた店を全部記憶している。店ととともに街を去った人たちもみんな記憶している。私という存在は、あの街で学んだこととあの街の外で学んだことからなるあるものである。もちろんあの街で学んだことが圧倒的に多い。私の身体の中には私が幼くして見た商売人たちの世界がまだ生々しく残っている。店ごとに出したブリキの看板や、蛍光灯の看板が昨日見たことのようにはっきりしている。あの街は、もうこの世に存在しない。今故郷にある街は、以前住んでいたところではない。ある意味で私は故郷喪失者のようなものである。紙屋と金物屋と材木屋と靴屋と中華料理屋と宝石屋と質屋と洋服屋と居酒屋と表札屋と喫茶店と電気屋と秤屋と下宿屋と代書屋と印鑑屋があった私の故郷は永遠に消えた。開発はあのあらゆる小さな店をなくしてしまった。本当に寂しいことだ。死ぬ間際に自身の生を初めから終わりまでもう一度振り返る機会が訪れると言う人もいたが、もしもそれが事実なら、私は別の時節に割かれた時間を減らしてでも、幼かったあの頃のあの街をしばらくの間、心を込めてゆっくりともう一度歩いてみたい。しかし、他の人は私とは考えがぜんぜん違うようだった。はっきりと訊きはしなかったが、ニューヨーク製菓店はただ学生時代に合コンをやった場所程度なので、死ぬ間際にもう一度行っ

〇〇七

てみたい気持ちはまったくないようだった。　彼らとしては当然のことなのだろうが、私はそんな人たちが憎らしかった。

ニューヨーク製菓店がいつ店を開けたのか私は知らないが、いつ店を閉めたのかは知っている。私が生まれるずっと前から存在した故郷の街の数多くの店のように、ニューヨーク製菓店は新しく変わった環境に適応できずに、結局、一九九五年八月に店を閉めた。どうせ人生はそういうものだから、このことを悲観的に考えてはいけない、と何度も自分に言い聞かせた。私よりも先に世に生まれたものはたいがい私よりも先にこの世から消える。正常な世の中で正常に起きる正常な出来事である。だから、ニューヨーク製菓店がこの世から永遠に消えることもそれと同じことである。

しかし、　果たしてそうだろうか？　単に消えてしまえばそれまでだろうか？

私は一九九四年五月二十六日付けの新金泉新聞（シンキムチョンシンムン）をまだ保管している。そこに次のように始まる記事が載っている。

〇〇八

「金泉出身のキム・ヨンス君（24歳）が詩と小説で登壇したことが後に明らかになった」

私も記者生活をしてみたので、これがどんなに格好いい導入部であるかよくわかる。何か興味津々な来歴が隠れているように思える。しかし、記事はなぜ私の登壇事実が「後に」明らかになったのか、いかなる情報も与えてくれない。ただ「後に」伝え聞いたとだけある。その事実を「後に」伝えた人は父親だった。父親は、記事の中の次の句に黄色い蛍光ペンで線を引いていた。

「駅前派出所の隣のニューヨーク製菓店出身でもある作家キム・ヨンス君は……」

父親は時々そうやって蛍光ペンで線を引いた新聞記事を封筒に入れて送ってきた。いつだったか封を開けてみると、朝鮮日報の記事が出てきた。その時まで私は、朝鮮日報とインタビューをしたり、朝鮮日報に文章を載せたことがなかった。開いて見ると、芥川賞を受賞した柳美里に関する記事であった。父親は柳美里という名前に、そして「彷徨と絶望の醸しだす文学性」というホン・サジュン氏のコラムのタイトルにそれぞれ赤い蛍光ペンを塗っていた。同封した手紙に父親は、「私はお前を信じる。所信の限り、希望をもって進んで行け。どうせ人生とはそういうものでないか」と書

〇〇九

いた後、「でないか」の「で」と「な」の間に「く」を書いておいて「は」を付け足した。その手紙を読むたびに、私は「ものでないか」と書いた後にそれが気に入らずに、中間に「は」の文字を挿入する父親の様子を思い浮かべる。子供ができた後になって、私はそれがどんなに崇高なことかを知った。

インタビューはニューヨーク製菓店の水槽の後ろにある暗い席で行われた。赤ん坊だった姉がひとり泣いていたところでもあり、仁寺洞で会った詩人が合コンをした席でもあった。その席は、どういうわけか人知れずこっそりとパンを食べようとする人たちのための場所であった。今は製菓店にそんな空間は必要ないが、その時は一般的であった。その席に座り、新金泉新聞からやって来た人としばらく話をした。その人は私のデビュー小説のモダニズム技法がとても立派であると私のことを持ち上げた。その人は私の小説を読んでいないようだった。どうやら私の小説を読んでいないようだった。とても立派だなんて。私よりも二十歳くらい年上に見えるその人の前で、私はニンニクをみじん切りにするような気が乗らない顔で、「モダニズムでなくポストモダニズム」と訂正した。その人は私の言葉を*1書きとめた。私たちの間には母親が選んだあんパンとクリームパンとコンボパンが銀*2

〇一〇

色のお盆に置かれていた。私が好きなパンだった。

　後日、私はこのことをかえすがえす後悔した。人生はそういうものではなかった。だんだん自分の影の方へ落ちぶれてゆくニューヨーク製菓店の奥の席で、歳が二十歳ほど上の人を前にして、「モダニズムでなくポストモダニズム」と訂正するべきではなかった。私が育てば育つだけ、この世の中のどこかには萎んでゆくものがあるという事実を知るのがまさに人生の真意であった。子供が育ち、大人になる程度の時間があれば十分であった。その間にどんなに丈夫なものでも、どんなに固いものや重たい

＊1　【ニンニクをみじん切りにするような気が乗らない顔】　韓国では多くの料理にみじん切りにしたニンニクを入れる。一般の家庭では、一週間ほど使える分のニンニクを臼に入れて潰したり、専用器具でみじん切りにするのだが、それは非常に手間のかかる作業である。

＊2　【コンボパン】　「コンボパン」は、もともとは「ソボロパン」と呼ばれていた。「ソボロパン」とは表面が凸凹していて固くほんのり甘いパンなのだが、この「ソボロ」という言葉は日本語の「そぼろ」のことである。「ソボロパン」は、一九九〇年代に繰り広げられた国語純化運動のなか、『国語純化用語資料集』（文化体育部、一九九七年）で「コンボパン」とハングルに純化された。韓国語で「コンボ」とは、あばた面のこと。

〇一一

ものでも、すべて壊れたり溶けてしまったりあるいは散々になってしまう。そのたび
に私の中では錆びた鉄板からサビが落ちてゆくように、黒く赤い屑のようなものが死
んで落ちていった。押し寄せる波に砂がさらわれてゆくように、微かな光が最後にき
らめきながら暗闇の中に消えていった。私が生まれて大人になるその短い間にである。
そうとも知らずに「モダニズムでなくポストモダニズム」云々と馬鹿な言葉をためら
いもなく吐き散らしていた時なので、後日新聞を受け取った際には、新聞記事に「駅
前派出所の隣のニューヨーク製菓店出身でもある作家」などという表現が載るなんて、
と思ったのは当然だった。しかし、そうでなければ、私はまたいったい誰だというの
か？　今は京畿道（キョンギド）に住んでいるから、またニューヨーク製菓店はもう存在しないから、
誰かに会って私を紹介する時には「小説を書く誰それです」と言うが、故郷では私は
まだ「駅前のニューヨーク製菓店の末っ子」で通る。もう死に去り、その痕跡も存在
しない微かな光、その屑のようなものがまだ私を規定するという事実には驚くばかり
だ。目に見えないからといって消えたというわけではない。

昔も今も、私がニューヨーク製菓店の末っ子だったという事実を知った時の人々の

反応はいつも同じだった。みんな「パンだけは思う存分に食べたろう」と言う。その羨ましそうな表情を見る時だけは、財閥二世にでもなった気分だった。私たちが幼かった頃だけでもパンの地位はそれだけ高かった。おまけにニューヨーク製菓店の末っ子の地位も、今の小説家に劣らなかった。当然のことながら、私は今まで生きてきたなかで他の誰よりもたくさんのパンを食べた。ほとんど毎日のようにパンを食べた。すると、ひとつ悟ることがある。ケーキやハンバーガーやロールケーキのような高価なパンは、毎日食べるのが実際は不可能であるということである。毎日食べられるパンはいくつもない。あんパン、クリームパン、コンボパン、餡餅、ドーナツ、牛乳パンのような製菓店の基本的なパンだけに飽きずにいられる。たぶん、チャジャンミョンとチャンポンをもっとも好む中華料理店の子供がいれば、私の言葉の意味を理解するだろう。死ぬ直前、幼かった頃のあの街をもう一度歩くことがあれば、私の

*3 【チャジャンミョン】 韓国式ジャージャー麺。味はジャージャー麺に近いが、たまねぎなどの野菜やえびなどの魚介類が入っている。

*4 【チャンポン】 韓国式チャンポンは、日本とは異なり、スープが赤唐辛子ベースで辛い。

〇一三

手にはあんパンとクリームパンとコンボパンと餡餅とドーナツと牛乳食パンがあるだろう。

　しかし、はじめからパンをそんな勝手に食べられたわけではなかった。私はニューヨーク製菓店でパンを盗み食いした経験もある。話としてはバスの車掌がただ乗りしたことがあると言っているのと同じなので、告解室に入って告白したとしてもそれほど説得力のない話である。しかし事実は事実だ。母親が見ていない時、パンを袋に入れて逃げた。私によくしてくれた薬局の兄弟がいたのだが、その兄弟にパンをご馳走したかったのだ。まだ小学校にも入る前だったので、母親はちょうど四十代にさしかっていただろう。その時は勝手にパンを食べられなかった。ニューヨーク製菓店の末っ子という呼び名が無意味なほどだった。

「他の誰でもない自分の子供の口に入るのに、どうして食べさせなかったんですか？」

　ニューヨーク製菓店がこの世から永遠に消えた後に私が母親に訊いたことがあった。

「あの頃は一文でも惜しかったんだよ」

母親が言った。若い頃、母親は末っ子の食べるパンまで売ってあくせくとお金を稼いだ。

ところで、その頃は日本語で「キレッパシ」[*5]というものを食べていた。韓国語で言えば、端切れ、屑ほどの意味だろう。新聞紙を敷いた大きな鉄板に生地を流してガスオーブンでしばらく焼けば、鉄板いっぱいのカステラになって出てくる。全身に白衣をまとったパン職人のお兄さんが働く工場は、ガスオーブンの熱気のためにいつも火照っていた。工場の中には一抱えほどもある大型扇風機があったが、夏には熱風を吐き出すばかりだった。職人のお兄さんは、大きなバッテリーを黒いテープで留めた赤いトランジスタラジオから流れる朝の放送を聴きながら、ガスオーブンから蒸気がもくもくと湧きあがるカステラを取り出して外に持っていった。よく焼けたカステラの表面はコーティングをしたように自ずとできた幾何学的模様が描かれつやつやしてい

*5 【キレッパシ】 原文では、「기레빠시」というように、「切れっ端」という日本語の音がそのままハングル表記されて使われている。これは、植民地時代の歴史が刻まれた現代韓国の日常語である。

〇一五

た。オーブンに入る前の生地とオーブンで焼けたパンは同じ物質と見ることができないほどだった。パンが焼ける様子を私は何回くらい見ただろうか、千回くらい見ただろうか？　しかし、見るたびにそれは奇跡のようだった。あんなことが人にも可能であれば、私もすぐさまがスオーブンに入ってニューヨーク製菓店の末っ子からアメリカ・ニューヨークの実業家の子供としてもう一度生まれ変わったのに。そんなとんでもない想像が深まる頃には外に置いておいたカステラもほどよく冷めるので、職人のお兄さんは新聞紙をつかんで鉄板の外にカステラを出して、刃はないがとっても長いパン用の包丁で包装できる大きさに切っていった。まずはじめに上下左右の少し焦げて硬い部分から切っていった。キレッパシはこうして切り捨てられたカステラを意味した。格好のために切り捨てたが、店で売るカステラと変わりないのでそのまま捨てることはできないのであった。だからといって、他の人にあげるには格好があまりによくなかった。結局、キレッパシは私たち兄弟のもとに帰ってきた。私はあんパンとクリームパンとコンボパンと餡餅とドーナツと牛乳食パンには飽きなかったが、このキレッパシには飽きてしまった。結局、私たち

〇一八

兄弟がキレッパシに手を出さなくなると、腐る直前のキレッパシは家で飼っていた犬の餌となった。犬もしばらくはおいしそうに食べていたが、すぐにキレッパシに見向きもしなくなった。犬でさえも最後にはわかるようになる。どうせ人生とはそういうものだ。度を過ぎれば飽き飽きする。

一度友達が遊びに来て犬のおわんに置かれたキレッパシを見た。

「おい、ありゃなんじゃ?」

目をまん丸くしながら子供たちが訊いた。

「キレッパシじゃ」

キレッパシがカステラであると考えたことがなかったので、私はあっさりと答えた。

「ありゃ、カステラちゃうんか?」

「ありゃ、カステラやのうてキレッパシと言うもんじゃ。カステラの屑じゃ」

「屑はカステラちゃうんか?」

数日後から学校では噂が立ちはじめた。誰々の家では犬もカステラを食べていたという噂だった。今もその時の小学校の同級生たちに会えばこの話が出てくる。今も私

〇一七

はあれがカステラでなくキレッパシであると主張する。今も友達はあれをカステラと記憶している。ニューヨーク製菓店では犬にもカステラを食べさせた、と友達は回想する。なぜだか、豊かだった季節がそこで終わってしまったような気がする。

2

三十を過ぎれば誰でも、その時までも自分の中に残っている灯りとはいったいどんなものか見つめるようになり、どこでそんな灯りが自分の中に入ってきたのか気になるものである。自分がどんな人間かを知りたければ、一時でも自身を点してくれたその灯りがいったい何によって作られたのか知らなくてはならない。一時でも。一時きらめいてキレッパシのように誰も見向きもしなくなった灯りでも。もうこの世のどこにも見つけることのできない灯りでも。

私の心を豊かにしたものは、あくまでも灯りであった。お盆の頃に駅前の近所の平和市場に混み合う露店商のカーバイドの灯りと、店先に商品が積み上げられた通りに

かかっていた六十ワットのあの白熱灯のオレンジの灯り、あるいはクリスマスが近い頃には店々のショーウィンドーが互いの光の中に混ざり合いながらきらめいていた色とりどりの灯りや、駅前に集まった空車タクシーのスモールランプとブレーキランプが照らしていた赤い灯り、また帰省列車が到着するのを指折り待ちながら運転手たちが吸っていたタバコの赤い灯り。あの揺らめくものたち。私の記憶の中であの灯りがひとつふたつ点れば自ずと幸せな気持ちに浸る。暗い駅前の夜の街に入り混じっていたあの灯りは温かかった。私たちが今、年末を迎えていることを教えてくれたから。

人々が列をなして立つソウル駅の広場や、団子状態で出てゆく帰省バスに向かって手を振る九老公団の人々の様子を映す、夜の街に向かってつけられた金星代理店[*7]のカラーテレビ。年末の商売のために製菓会社や醸造会社でただで配られる粗雑なデザインの包装紙で一律的に包装された後、店の前に山のように積まれた総合贈り物セット、あるいは慶州法酒や白花寿福のような高級酒。ソウルや蔚山(ウルサン)や大田(テジョン)や大邱(テグ)のような大

*6 【九老公団】 ソウル特別市九老区にある公営団地。

*7 【金星代理店】 電気機器メーカー「金星」の代理店。

〇一九

都市生活での疲れた表情など家に置いてきた帰省客が紅潮した顔でじっと見つめていた、贈り物セットの見本品のビニールの上できらきら輝いていた白熱灯。年末の特別輸送期間を迎えて店のショーウィンドーよりももっと大きな板に作った臨時時刻表を持ってきては、待合室の入り口の横に立てていた駅員の皺顔。あのすべての光景は依然として私の心の中できらめいている。今もあの時のことを思い出せば、きらきらと胸の片隅で灯りが放たれるようにきらめく。

またこんな記憶もある。中二階には、古い衣服をしまっておく、紙で作った四角形の衣類箱があった。全部で二つあったのだが、そのうちのひとつにクリスマスの装飾物を入れた箱が入っていた。クリスマスが近づくと、私たちはその装飾物を衣類箱から出した。その中は父親が米軍PX*8を通して購入したという高価な装飾物でいっぱいだった。カラーボールも本物のクリスタルで、金銀色の星もとても精巧だった。父親が普段、家の二階で育てていたもみの木を持ってくれば、私たち兄弟はそのもみの木を囲んでまず豆電球を巻いた後に、縞模様の杖や赤い靴といった装飾物と色とりどりに輝くモールをかけた。クリスマスツリーをすべて飾り終えると、店の

〇二〇

中に残った色のついたモールにクリスタルボールをぶら下げた。暖炉の周囲に垂れ下がったモールは、幼いスチーブンソンが蒸気機関の原理を発見した時のエピソードを連想させ、熱気にひとりでに揺らめいたりした。薬局で脱脂綿を買ってきて、窓に雪のようにつけて店の入り口に「Merry Christmas」という文字と布地で作ったヒイラギの葉と銀紙で作ったベルがとてもよく似合うリースをかければ、クリスマスの準備はすべて終わった。クリスマスの装飾をすべて施したニューヨーク製菓店は、ガスオーブンに入って出てきたカステラ生地みたいだった。入り口のドアを開けて入れば、店の中のあらゆるものが灯りをきらめかそうとにぎやかだった。母親も、私たちも、机も、水槽も、陳列されたパンも、すべてがそれぞれ灯りを発した。クリスマスイヴになれば、ほぼ十分ごとにケーキを買いに来る人がいたから、灯りを発するのは当然だった。普段は一日に三、四個、多くて五、六個売れる程度だったからたいへんなことだった。母親は、三百個はゆうに超えるほどのケーキを準備したが、人々に売らなければならないケーキがまだたくさん残っているという印象を与えたくなかったよう

＊8【米軍PX】　米軍用語で「Post Exchange」の略。軍隊内で飲食物や日用品などを売る店のこと。

〇二一

だ。店には少しだけ置いておいて、売れるとすぐに私たちが屋上からケーキを持ってきた。「五号を五個と四号を三個持っておいで」と叫んだ母親の声には力がみなぎっていた。クリスマスシーズンが過ぎればしばしお金に窮するほかないので、とにかく力を出さなければならなかった。

私に送った手紙で「どうせ人生とはそういうものではないか」と父親は書きたかったようだ。「ものでないか」と「ものではないか」がどう違うのか私はまだわからない。歳月が流れて、私も自分の子供に勇気を出させる手紙を書く時には、その差異がわかるかもしれない。その時は私もなぜ子供は育って大人になるのか、なぜ世の中のあらゆる灯りはきらきらときらめきながら結局は遠ざかっていくのか、なぜあらゆるものは記憶の中でのみ永遠なのか悟るだろう。私の次の子供たちが育てば、その子供たちが大人になれば。その程度の短い時間が流れれば、私も「ものでないか」と「ものではないか」の差異をわかるようになるだろう。今からする話は、短かったニューヨーク製菓店の全盛期が終わった後に起きた出来事である。私が子供から登壇の事実が後に知られた青年になるまで、ニューヨーク製菓店のその灯りが私の心の中に入っ

○二二

てくるまでの過程を含んだ話である。

「さあ、どれにしようか？」

父親が製菓店用ショーケースのカタログを私たちに見せながら言った。コーティングされた紙で作ったカタログには、シンプルなデザインの様々な製菓店用ショーケースの写真が印刷されていた。その時まで母親は木のショーケースを使っていた。白熱灯なのでパンがおいしそうに見えないうえに、接続部分がすり減った木の扉からは引いて閉めるたびにキーキーと悲鳴のような音が聞こえた。冷蔵装置もなく、暑い夏の日にはケーキを冷蔵庫に入れておかなければならず、ちゃんと閉まらない扉は鼠も簡単に開けられるほどだった。そんな感じだったので、カタログに載ったショーケースはどんなものでもよかった。

「これもいいし、あれもいいし……」

父親はおそらく前もって価格と用途を調べておいて、購入するモデルをだいたい決めておいたことだろう。しかし私たち兄弟は、皆一様に金色銀色の灯りをきらめかす最新型ショーケースをじっくりと見た。カタログに載ったショーケースは、本当に

○二三

しゃれていた。冷蔵機能を持つうえに、ややするすると火花を散らすプラグを毎回挿した
り外したりする必要もなく、スイッチさえ押せば明るい光がつき、またフレームが鉄
製なので、木のショーケースで飼い慣らされた鼠たちは、体力を鍛え直さない限り、
涎で髭を濡らしながら為す術もなく眺めてばかりいるに違いなかった。父親は流線型
で少し傾斜があるケーキのショーケースと、重そうに見える木目調のパンの陳列台を
購入することに決めた。そのついでにテーブルと椅子も換えることにし、手で回して
いたかき氷機も電動式に換え、食パンを切る機械も購入した。それは、第五共和国[*9]も
終わりにさしかかり、あの小さな都市でも国民本部[*10]が結成されるなど、社会が落ち着
かなかった頃であった。

私が知る限り、ニューヨーク製菓店は三度に亘って変化の機会を迎えた。最初の機
会は、朴正熙が死んだ後に訪れた。パンといえば高級生菓子だけを思い浮かべていた
人々もその頃から日常的にパンを買って食べるようになった。勤倹節約と貯蓄を美徳
と打ち出した時代が過ぎて、レポーツ[*11]やマイカーという新造語とともに消費が美徳で
ある時代が訪れたのである。私の心の中に今も残る灯りはすべてニューヨーク製菓店
全盛期の頃のものである。正月には贈り物用のロールケーキとケーキを、二月のバレ

○二四

ンタインデーにはチョコレートを、三月のホワイトデーにはキャンディーを、六月か
らはかき氷を、お盆には再び贈り物用のロールケーキとケーキを、入試の頃には餡餅
を、冬至の頃にはおしるこを、クリスマスにはケーキを売った。その頃、母親はそう
したシーズンをひとつも逃さなかった。

二度目の機会は第五共和国[*9]が終わってゆく頃に訪れた。ニューヨーク製菓店のシー
ズン販売の売り上げはだんだんと減りはじめていた。お客たちは最新式のインテリア
を備えた製菓店を選り好みしはじめ、バゲット、ピザパン、野菜パンなどソウルから
伝わってきた新しい種類のパンを求めはじめた。パン職人のお兄さんは、『月刊ベー
カリー』に載った調理法をしばらく読みもし、市内の他のパン職人や大邱の職人に直
接学びもすると、ピザパン、野菜パン、栗パン、とうもろこしパンなどの新メニュー

　*9　【第五共和国】　一九八一年三月から一九八八年二月までの全斗煥政権時代。
　*10　【国民本部】　「民主憲法争取国民運動本部」の略称。一九八七年五月、韓国における民主化運動
　　　の過程ですべての在野勢力（民族民主運動陣営）が総結集して誕生した反独裁の国民戦線的組織。同
　　　年六月における大規模な民主化運動（六月民主抗争）を主導した。
　*11　【レポーツ】　レジャースポーツのこと。

を作り出した。しかし、バゲットだけはとうとう作れなかった。調理法の通りに作り

はしたのだが、バゲット特有のパリッとしてもちもちした食感が出なくて、結局あき

らめてしまった。そうはあっても、ニューヨーク製菓店はそれなりに誠実に二度目の

機会を迎える準備を終えたわけであった。

　しかし、ニューヨーク製菓店はその二度目の機会を最初の機会ほどうまく迎え入れ

ることはできなかった。バゲットを作れないためでもなく、シーズン販売の売り上げ

がなくなったためでもなかった。事実上ニューヨーク製菓店を引っ張っていた母親が

子宮がんの診断を受けて病院に入院したためであった。私は家族の中の誰からも手術

の成功率について聞いたことがなかった。なぜかその時の記憶はちゃんと残っていな

い。自ら消してしまったのだろうか、あるいは記憶に残すほど深刻なことでないと

思ったのだろうか？　ただ学校と家だけを行き来していたような気がする。店は姉が

見て、父親は手術を前にした母親がいる大邱の病院に行っていた。時々、休日には姉

の代わりにひとりでニューヨーク製菓店を見る時もあった。私はパンの値段をちゃん

と知らなかったために、勝手気ままにパンを売ったりした。あげくの果てに、売るの

が面倒くさい時には、私はよくわからないのでまた今度母親がいる時に買ってくださいと言って客を帰した。しかし、母親が戻ってくるかどうか私としてはわからなかった。母親はほとんどひとりでニューヨーク製菓店を切り盛りしてきた。母親のいないニューヨーク製菓店というものにいったい何の意味があるのかわからなかった。新しいショーケースと機械を備えたニューヨーク製菓店はしかし、すぐにでも崩れてゆくかのように陰惨になった。公正に真ん中を走るとすれば、予感は良いことと悪いことのうち、悪いことの方によく倒れるものだ。思い出がしばしば良いことの方にのみひた走るのとはまるで違う。ぜんぜん違う。

それゆえに、人生とは思い出だけで語るのがいいだろう。どういうわけか、記憶に浮かぶものは、大邱駅に到着し、叔母たちと一緒に乗ったタクシーから流れてきたラジオ放送だ。男女が出てきて、漫談をするようにずっとあれこれ話をしながら午後の閑な時間を埋める、そんな類の番組だった。東城路だとか西門市場だとかいう大邱の地名も記憶に浮かぶ。叔母たちは家庭の話をしていたようだった。わからない。何の話もしていなかったのかも。私はなじみのない大邱の市内を眺め、しきりに音の乱れ

るラジオ放送に耳を傾けていた。最近も私は、閑な午後に漫談のラジオ番組を流している　タクシーに乗ってなじみのない街を過ぎる時にその時のことを思い出す。この現実から別の現実へと抜けてゆくトンネルを通るような感じがする。病院に行くと、母親はやつれた顔で横になっていた。私は叔母が出したセックセックだかボンボンだかのジュースを飲み、すぐに病室から出て廊下を歩いた。病院の廊下はベージュ色だったが、日が当たらず影になったところは栗色に近かった。廊下の端には中庭へと出られる木のドアがあった。ニューヨーク製菓店よりももっと昔に建てられた病院だった。日差し

私はずっと庭に植えっぱなしの木と草のようなものを眺めながら立っていた。ただ、その木と草を受けて立っていたのか、風は吹いていたのか、何の記憶もない。ただ、その木と草のようなものを以前と同じように眺められるようになったという事実がありがたいだけだったという記憶しか。とどのつまり、母親はひとりで危険な峠を越えてきたのである。お盆やクリスマスのシーズンを越えるようにである。

そうして、私は、ニューヨーク製菓店の末っ子としていることができた。

〇二八

3

何年か前までも私は夏にはかき氷を自分で作って食べた。他の製菓店でもパンはよく買って食べる方だが、かき氷だけは絶対に買い食いしない。かき氷の命は餡にあるのだが、最近ではこの餡を直接作る店がないためである。かき氷はきれいにかいた氷に餡だけ載せて食べるのが一番おいしい。それでかき氷といえばまず第一に餡の味であり、第二に本物の雪のように氷をかくことのできるかき氷機の刃の鋭さである。夏には私も店でかき氷をかなりたくさん売った。もっとも記録的な日は、一九九四年の夏休みの時に訪れた。つまり、私が詩と小説で登壇したという事実が「後に」故郷に知られたまさにその年だ。その夏はかなり暑かったようだ。毎日かき氷を売る量が増えていって、ある日には計算してみると一三四杯も売ったと出た。その事実を知って私がどんなに興奮したか知れない。すぐにでも母親に自慢したかったが、その年の夏にも母親が毎年の行事のように病院に入院中だった。私はそのうち母親が退院すれば自慢しようとその数字を暗記した。一三四杯。本当にすごい数字だった。

〇二九

「ほお、たくさん売ったね」

数日後、大邱の病院に行った私が数字を伝えると母親が横になってにこりと笑った。

「今まで一日にかき氷を売った中で一番たくさん売ったんじゃないですか?」

「私はもっとたくさん売ったよ」

「何杯売ったんですか?」

「昔はどんなにたくさん売ったことか。夏にかき氷を売って、秋にお前たちを学校に行かせたり服を買って着せたりしたから、どれほどたくさん売ったかわかるだろう?」

私は付き添い者用のベッドに座り、点滴がしたたたるのを眺めていた。

「お母さん、もう店をやめましょう」

「お前がまだ大学も卒業できていないのに、店をやめたらお前の学費はどうやって準備するんだい?」

「私が書いて稼げばいい」

「ああ、お金を稼ぐのがそんなに簡単なことだと思うのかい? 兄さんと姉さんも大学まで学費を私が稼いで払ったから、お前も学費は出してやるよ。その次からはお前

〇三〇

が稼いで暮らすんだ」

母親が笑って言った。手術を受けてから母親は些細なことにも笑みを浮かべた。私が母親からもらったものの中で一番誇りに思うものは、大学の学費でなくその笑顔であると言えば母親は悲しむだろうか？　結局私は大学を卒業する時まで母親から学費を受け取らなくてはならなかった。そしてその後から、本当に母親はお金をくれなかった。大学卒業後、一年の間に私はあちこちにものすごい量の文章を書いたのだが、稼いだお金がニューヨーク製菓店全盛期の繁盛時の稼ぎはおろか、何日か稼いだお金ほどにもならなかった。急にどきっとした。

私が知る最後の機会がニューヨーク製菓店に訪れた。　金泳三大統領がグローバリゼーションを主張する時には、それが何のことだかわからなかったのだが、パリクロワッサンやクラウンベーカリーのような大企業の運営するパン屋があの小さな都市にもできはじめて、私たちはそれがどういう意味かわかった。私が見てもそういう店で売っているパンと比べてニューヨーク製菓店のパンは見劣りしていた。ニューヨーク製菓店とともに商売を始めた店がひとつふたつと、パリクロワッサンやクラウンベー

カリーのような店に変わったり業種を転換していった。しかし、ニューヨーク製菓店は堂々と一九八〇年代の佇まいのままその場所を守った。もうそれ以上新しく変わるだけの能力がなかったためであった。ニューヨーク製菓店は、私たち三人兄弟が子供から大人に育つまでの間に必要なお金と母親の手術費と入院費と薬代だけを作り出しては、その生命を終える時を迎えた。母親は何日かに一度、売れずに腐ったパンを黒いビニール袋に入れてゴミと一緒に捨てたりした。昔は末っ子にもパンを与えない方だったのに、キレッパシも捨てずに全部食べていた方なのに。その様子を見つめる心情はとても惨めだった。どうせ人生はそういうものだったのか？ 母親の自尊心は、パンを売れずに捨てるという事実を他人に気づかれないようにビニール袋をぎゅうぎゅうに縛って捨てる程度にだけ残っていた。それでも、家を失った猫たちがパンの匂いを嗅ぎつけてゴミ袋を漁り、清掃車が通る早朝には店の前の通りにパンの袋が散らかっていたために気づかない人はいなかった。

　それでも母親は店をやめるという言葉だけは口にしなかった。ただ私に言ったように、ある年の夏にはかき氷をどんなにたくさん売ったのか、ある年のクリスマスにはケーキをどんなにたくさん売ったのか、あるパン職人がどんなに手を焼かせたのか、

〇三二

そんな言葉だけだった。しかし時間が経つにつれて、母親も自分が店を開けたニューヨーク製菓店がもうその生命を全うしたという事実を受け入れているようだった。そんな事実を受け入れるというのは果たしてどんな気分だろうか？　私としては想像もできない。

　大学を卒業したその年、初めてお金を稼ぐために必死になっていたある日、故郷から電話が来た。ニューヨーク製菓店を他の人に売ったという知らせだった。新しく引き継いだ人はその場所に電車の乗客を対象にした二十四時間営業のクッパ屋を開くと言った。私はよかったと言った。ニューヨーク製菓店が店を開ける時も私はそこにいなかったのだが、店を閉める時もその光景を見ることができなかった。私はクッパ屋になったニューヨーク製菓店の場所を想像してみた。うまく想像できなかった。もうこの世のどこにもニューヨーク製菓店はないと思うと、少し寂しい気持ちになった。しかしそんなに深刻に考えはしなかった。その当時私が直面していた問題だけでも心配の種は多かったためである。そのちょっと後に、住んでいた家も駅前から市の外れに引っ越した。時々故郷に戻るとまるで自分が住んでいた街ではないようだった。私

〇三三

は電車から降りるとすぐにタクシーを捕まえて昔田んぼがあった場所に新しく建設された アパート村に直行する。二十四時間営業のクッパ屋に変わった後、ニューヨーク製菓店があった場所には一度も行かなかった。

ある日、私はふと、もう自分が生きてゆく世の中には苦しいことだけが残されていると考えるようになった。これから生きてゆく世の中ではいつも誰か私が知っていた人が死ぬだろうし、私の知っていた街が変わってゆくだろうし、私の大切にしていたものが去ってゆくだろうから。ただの一度もそんな考えをしたことがないのに、ふとそんな恐ろしさに襲われた。けれども、私の中に大切にしまっておいた灯りをひとつふたつ取り出してみることがたびたび起こるという事実を悟るようになった。キャンディーを入れておいたガラスのビンのふたをしきりに開ける子供のように、私ははっきりと見えるその灯りが懐かしく、何度も何度も過去の中へと駆け出した。思い出の中で少しずつ明らかになるその灯りの中心にはニューヨーク製菓店がいつも存在する。私が生まれて育ち大人になるまでの間、ニューヨーク製菓店があったという事実が私にはどんなに大きな助けになったか知れない。そしてこれからはニューヨーク製菓店

〇三四

が私に作ってくれた思い出とともに私は生きてゆくわけである。この世に存在しない

何かが私を生かしてゆくとは驚くべきことだった。その次に私は悟った。もう私が生

きてゆく世の中に苦しいことだけ残っているわけではないという事実を。私も誰かに

私がいなくなった後にも長い間慰めとなる人として残ることができるだろうというこ

とを知るようになった。生において時間が何の意味もないという事実を、この世から消えたと信じていたものが実は私

ものだけが全部ではないという事実を、この世から消えたと信じていたものが実は私

の中にそっくりそのまま存在するという事実を、私は悟った。その頃、私には子供が

できた。私がこの世から消えた後もずっとその子が私のいない世の中を生きて

ゆくという事実を、私は「常識的に」受け入れることができるようになった。

ある年のお盆だったか正月だったか、故郷の友達と酒をたくさん飲んで家に帰る道

だった。かなり遅い時間だった。ふと二十四時間営業のクッパ屋が思い浮かんだ。私

はちょっとためらった後にその店に行ってみることにした。金泉駅を出ると駅前の広

場の左側にニューヨーク製菓店があった。両側にサッシで作ったショーウィンドー

が、その真ん中にやはりサッシで作った出入り口があった。出入り口の右側にはプラ

○三五

スチックで作った模型のケーキがいつも陳列してあって、左側には厨房があった。午後には傾いた日差しが入ってくるので庇を下げなければならなかった。店番をする時、私は午後四時頃には紐を解いて緑色の庇を下ろしていた。出入り口を開けて入ると、左側に八〇年代後半に新しく入れた最新型のケーキの陳列台が、右側に開放された形態のパンの陳列台があった。パンの陳列台の横には上に扉を開け閉めするアイスクリームの冷凍庫があり、入って向かい側には食パン、ロールケーキ、栗パン、ピザパンなどやや図体のでかいパンとキャンディーなどを置いておく陳列台がもうひとつあった。そこを曲がって入ると、1番から9番までテーブルがあった。8番と9番は水槽の後ろにあるために出入り口からはよく見えなかった。出入り口の正反対の壁にはカラー放送が始まった年に購入したテレビが高く設置した台に置かれていた。母親はいつもケーキの箱や包装用のビニールを積み上げておく1番テーブルに座り、昼間は出入り口の方を、夜はテレビの方を眺めていた。私の心の中に永遠に残ったニューヨーク製菓店の姿はそのようなものだった。二十四時間営業のクッパ屋に入った私は、昔でいえば2番テーブルがあったと思われる席に座ってクッパが出てくるのを待っていた。テレビも昔のあの台に載せられていて、床の模様もそのままで、木の装飾の天

井も同じだった。私の目が届くいたるところから、私は私たち家族の姿を見ることができた。そこで私は幼い子供であり、小学生であり、悩み多き高校生であり、自信満々の新人作家であり、かき氷販売の新記録を立てた大学生でもあった。そして、私はもうこれ以上顔を上げて室内を眺められなくなった。すると、クッパが出てきて、私はずっと顔を俯けてクッパを食べた。クッパは温かかった。私は勘定を払った後、サッシのドアを開けて外に出た。駅前の街の灯りが丸く朧げに見えた。

世の中を生きてゆくのに、それほど多くの灯りが必要なわけではない。ほんの少しだけあればいい。どうせ人生とはそういうものではないか。

訳者解説

　もしも文学が人間にとって終わりのない問いである、生きるとは何か、人生とは何かについて、ディテールやメタファーにこだわって言葉ないし物語にするものだとすれば、『ニューヨーク製菓店』ほど、文学らしい文学はないだろう。

　もしも文学が人間にとっての根源的な恐怖である死について、神の教えにもとづいて人々を諭す宗教とはスタンスを異にして、個人の生や身体にもとづいて言葉ないし物語にするものだとすれば、『ニューヨーク製菓店』ほど、文学らしい文学はないだろう。

　いろいろな文学があるし、あっていい。ただ、『ニューヨーク製菓店』、作家が鉛筆で書いたというこの自伝的小説は、あんパンとクリームパンとコンボパンと餡餅とドーナツと牛乳食パンのような食べ飽きないパンのように、何度読んでも読み飽きない素朴な味わいの物語なのだが、実は、人生と死と遠回りに

向き合った、驚くほどに文学の王道を行く小説作品なのだ。

生きる。私は『ニューヨーク製菓店』を読む度に、この人として最も基本的な動詞について考えさせられる。人は誰もが〈私〉は自分の意思で主体的に生きていると思っている。〈私〉は生きる。〈私〉は今生きている。これは当然のことだ。だが、人の生はそんなに単純ではない。他者がいる。他者がいて〈私〉が在るからだ。

人は一人では生きていけない。そう言えば陳腐に聞こえるかもしれないが、そもそも、人は一人ではこの世に生まれてくることはできない。また、人は一人では死ぬこともできない。自分が死んだことを他者が認知して初めて〈私〉は死んだことになる。誰かが〈私〉の死を認知してくれなければ、〈私〉はただ失踪しただけだ。他者がいなければ、〈私〉は、死ぬことすらできないのだ。他者と共に在る。これが私たち人間存在の基本だ。我思う、故に我在り。これは大きな勘違いだ。他者と共に在る、故に我在り。

灯り。作家はこの〈私〉を〈私〉たらしめてくれる他者のことを「灯り」のメタファーで語っている。いや、これは比喩だが、比喩ではない。作家の記憶の中

〇三九

にある金泉の街並み、駅前商店街の白熱灯の灯り、その記憶。灯りの記憶。作家を育て、作家の生を点す、心の中の記憶の灯り。その灯りの中心にはニューヨーク製菓店がいつも存在する。作家は生きている。しかし、作家は単に生きているのではなく、ニューヨーク製菓店によって生かされている。生きる、ではなく、生かされている。

ここでひとつ気づくことがある。驚きと落ち着きと共に。ニューヨーク製菓店はもうこの世には存在していない、言うなれば、ニューヨーク製菓店は死者であるということ。ニューヨーク製菓店が生きている時には分からなかったが、ニューヨーク製菓店が死者になった時、作家はニューヨーク製菓店によって自分が生かされていたことに気づく。同時に、ニューヨーク製菓店が灯りとなって心の中に入ってくる。

死とは何か。死者とは誰か。人なら誰しも一度はこの人生の難題の前に立ち尽くす。もしも誰か大切な人の死や喪失に直面した時には、泣きながら、巨大な鬱に襲われながら、この難題に人は打ちのめされることだろう。そうした不幸な人のために文学は在る。不幸でなければ、文学は要らない。だとすれば、いったい

〇四〇

どれだけの人が文学を必要としない幸せな生／死を送れるというのか。宗教があ
る。しかし、宗教は実は個人を救えない。

死とは何か。死者とは誰か。『ニューヨーク製菓店』は遠回りに答えを出す。

それは、灯り。死は、灯り。死者は、灯り。死者は、〈私〉を点す灯り。目に見
えないからといって消えたわけではないし、死んだからといって終わりではない。

死と再生。死者は灯りとなって誰かを生かし続けている。〈私〉は死者によって
生かされている。生きる、ではなく、生かされている。そして、〈私〉もいつか
灯りとなる。灯りとなって誰かを生かし続ける。子を授かった時に作家が悟った
ように、〈私〉が死んだ後にも、〈私〉は子供の心の中で灯りとなって子供を生か
し続けてゆく。

『ニューヨーク製菓店』は今から二十年前の作品だ。キム・ヨンス文学全体から
見れば、初期の代表作だ。記憶の欠片を拾い集めながら個人の身体に刻まれた歴
史をさり気なく表現することで韓国の近現代史にリアルに触れる手法や、〈私〉
を生かしている他者あるいは死者の声に耳を傾けながら人間存在について探求す
る方法論など、『ニューヨーク製菓店』にはキム・ヨンス文学のエッセンスが凝

縮されている。『ニューヨーク製菓店』は、キム・ヨンス文学の灯りだ。自分が
どんな人間かを知りたければ、一時でも自身を点してくれたその灯りがいったい
何によって作られたのか知らなくてはならないように、キム・ヨンス文学とは何
かを知りたければ、『ニューヨーク製菓店』をじっくりと読み込めばいい。もっ
と言えば、文学とは何かを知りたければ、『ニューヨーク製菓店』を読めばいい。
『ニューヨーク製菓店』は、文学とは何か、文学がなぜこの世に存在しなければ
ならないのかを教えてくれる、文学の灯りだ。

　私がヨンスさんと出会ったのは、今から十七年前のことだ。二〇〇五年二月
から三月にかけて国際交流基金主催のキム・ヨンス講演会ツアーがあったのだ
が、当時大学院の博士課程に在籍していた私がコーディネーターに大抜擢された。
私がヨンスさんと年齢が近いのと、李箱（イサン）つながりがあってのことだったと思う。
コーディネーターの役割は、講演会のパンフレットの作成と講演会の参考資料と
して『ニューヨーク製菓店』をはじめとするいくつかの短編小説を翻訳すること、
そして講演会の司会であった。あと、おそらくこれが一番重要だったのだが、ヨ

〇四二

ンスさんの世話役。ツアー期間中、私はヨンスさんの身の回りの世話だけではな
く、ヨンスさんが当初から計画していた次作のための資料収集や父親の故郷への
旅をサポートした。

講演会ツアーの前年にヨンスさんと初顔合わせをした。夏の終わり頃だったと
思う。派手な色のTシャツ姿で現れたヨンスさんは、眼鏡をやめてコンタクトレ
ンズにしていた。本の扉に載っていた眼鏡をかけた生真面目な青年の雰囲気の顔
写真とは印象があまりにも違っていたので、私は思わず、「別人かと思いました」
と言うと、ヨンスさんは「眼鏡は耳や鼻が痛くてもうやめました」と嫌気がさし
たような顔を作って答えた。多少ぎこちなかったが、それが私とヨンスさんの最
初の会話だった。

ヨンスさんと私はロックバンドのように全国ツアーに出た。南は福岡から北は
札幌まで全国五カ所を回った。ホテルはいつも隣の部屋で、部屋で寝る以外の時
間を共に過ごした。お酒が大好きで話好きのヨンスさんは、毎晩私をなかなか部
屋に帰さなかった。ヨンスさんは「もう一杯、あともう一杯だけ」が口癖のよう
な人だ。しかし、けっして酒癖が悪いというわけではない。ヨンスさんは相手に

不愉快な思いをさせるような人ではない。私が知っているヨンスさんは、謙虚で温厚で、月並みな言葉で言えば、良い人だ。それでいて、ユーモアがある。ヨンスさんの人間性は、彼の自伝的小説でもある『ニューヨーク製菓店』によく表れている。

ツアー中、四六時中一緒にいるので、時には関係が煮詰まってぶつかった時もあった。ロックバンドのように。ヨンスさんのお父さんの出身地である岐阜県多治見市笠原町を旅している時のことだった。

日本の市町村では夕方五時頃になると、「良い子のみなさんは気をつけてお家へ帰りましょう」という子供たちに帰宅を促す放送が懐かしい童謡のメロディと共に流れてくる。私が子供だった頃は、「夕焼け小焼け」だった。ちょうどヨンスさんのお父さんが通っていた小学校の辺りを散歩している時に夕方の放送が流れてきた。ただ、その時は、音楽が「ふるさと」だった。ヨンスさんはすぐさまその放送と音楽に反応して、「これは何ですか？」と訊いてきた。私はヨンスさんに、日本の市町村では夕方に子供たちに早く家に帰るようにという放送があること、童謡のメロディも一緒に流れるのだが、今流れている童謡は私が育った地

〇四四

域とは違うことなどを説明した。

その時、小学校三年生くらいの男の子が私たちの前を通って行った。ヨンスさんはすかさず、「あの子にこの曲のこと、放送について何か話をしてください」と私に頼んできた。私はいきなり見ず知らずの小学生に話しかけるのはさすがに気が引けたので、「嫌です。なんで、私がそんなことまでしないといけないんですか」とちょっと苛立った。すると、ヨンスさんは、「ディテールが重要なんだってば！」と必死に訴えてきた。普段は温厚なヨンスさんが珍しくその時ばかりは強い口調だった。目が必死だった。私はその必死さに圧倒されて小学生に照れながら話しかけた。しばらく立ち話をした。今はもう小学生の男の子と何を話したのか内容を覚えていない。しかし、あの時のヨンスさんの必死さだけは今でもよく覚えている。

ツアー中、ヨンスさんとはたくさんの話をした。文学談義に花を咲かせもしし、当然、お互いの恋愛話もした。私が酔った勢いでヨンスさんに打ち明けた切ない恋物語が、数年後、虚構化されてヨンスさんの小説に登場することがあった。

正直、当惑したが、私はすぐに悟った。ヨンスさんは人と話すのが好きなのだが、

具体的に言えば人の物語が好きで、あまりにも好きだから、自他未分化、自己と他者の物語の境目がない、常に人々の物語を生きている人なのだ、と。物語の人。物語のプロ。ヨンスさんは小説家だ。

それがツアー中だったか、ツアーの前年だったか記憶が定かではないのだが、私は、『ニューヨーク製菓店』を初めて読んだ時に深く感動しながらも気になったことをヨンスさんに訊いてみた。その後、お母さんはどうなりましたか、と。ヨンスさんは微笑みながら、お母さんは亡くなりました、と穏やかに答えた。死の予感。きっと、ヨンスさんは、母親の死を予感しながらこの小説を書いていたのだろう。心の準備と言ってもいい。ヨンスさんは「三十を過ぎれば誰でも」と書いているが、それは照れ隠し、いや、悲しみ隠しだ。

ヨンスさんの小説に通底しているテーマは死だ。しかし、けっして重苦しくない。すっと入ってくる。食べ飽きないパンのように。抱き取る。ヨンスさんの小説には、死を抱き取る抱擁力がある。人間として、これ以上の優しさや心強さがあるだろうか。だが、ヨンスさんの小説の魅力は、死を抱き取る、人間としての

優しさや心強さを遠回りに表現しているところにある。『ニューヨーク製菓店』は、あくまでもパン屋さんの物語だ。昔懐かしい、誰にでもある思い出の一番深いところ（灯り）に触れる、素朴な味わいの物語だ。世の中を生きてゆくのに、それほど多くの灯りが必要なわけではない。ほんの少しだけあればいい。

十七年振りに『ニューヨーク製菓店』を翻訳し直した。この十七年の間に、歳月は流れ、私の人生にも何度か転機が訪れた。私がこの小説の真意を深く噛み締めたのは、子を授かった時だった。そして、母を亡くした時だった。人生の節目節目で『ニューヨーク製菓店』を読み返すと、その都度、この小説は実に味わい深く、とてもさり気なく生きる勇気を与えてくれた。思えば、『ニューヨーク製菓店』は、私にとっての灯りだった。きっとヨンスさんにとっても特別な作品（灯り）であるに違いない。『ニューヨーク製菓店』が本書を手に取った日本の読者の灯りになれば、訳者としてこんなに嬉しいことはない。どうせ人生とはそういうものではないか。

崔真碩

〇四七

著者

キム・ヨンス（金衍洙）

1970年、慶尚北道生まれ。成均館大学英文科卒。
1993年、「作家世界」で詩人としてデビュー。
翌年に長編小説「仮面を指差して歩く」を発表し
高く評価されて以来、本格的に創作活動を始める。
「散歩する者たちの五つの楽しみ」で李箱文学賞を受賞したほか、
東西文学賞、東仁文学賞、大山文学賞、黄順元文学賞など
数々の文学賞を受賞。エッセイスト、翻訳者としても活動している。
邦訳に『世界の果て、彼女』『ワンダーボーイ』（以上クオン）、
『皆に幸せな新年・ケイケイの名を呼んでみた』（トランスビュー）、
『夜は歌う』、『ぼくは幽霊作家です』（以上新泉社）、
『四月のミ、七月のソ』『波が海のさだめなら』（以上駿河台出版社）、
『目の眩んだ者たちの国家』（共著、新泉社）がある。

訳者

崔真碩（ちぇ じんそく）

1973年ソウル生まれ、東京育ち。
東京大学大学院総合文化研究科博士課程修了。学術博士。
現在、広島大学大学院人間社会科学研究科准教授。
著書に『朝鮮人はあなたに呼びかけている』（彩流社）、
『サラム ひと』（夜光社）など、訳書に『李箱作品集成』（作品社）、
『ウォンミドンの人々』（新幹社）などがある。

뉴욕제과점

김연수

1

나는 이 소설만은 연필로 쓰기로 결심했다. 왜 그런 결심을 하게 됐는지 모르겠다. 그냥 그래야만 할 것 같았다. 그러고 보니 연필로 소설을 쓴 것도 꽤 오래전의 일이다.

오래전의 일로부터 이 소설은 시작한다.

아직도 나는 뉴욕제과점이 언제 문을 열었는지 정확하게 알지 못한다. 내가 태어났을 때, 거기 뉴욕제과점은 있었다.

어렸을 때, 어머니에게 이렇게 물은 적이 있었다. "엄마는 언제부터 장사를 시작했어요?"

겨울이면 늘 코를 흘리고 다녀 소매 끝이 반질반질하던 초등학생 시절이었다.

"니가 태어나기도 한참 전에 시작했지."

뉴욕제과점 난로 옆에 앉아 텔레비전 화면과 뜨개질 바늘을 거의 동시에 바라보며 어머니가 말했다. 그즈음 우리 형제는 부

003

쩍 자라고 있었다. 추석도 지나가 손님이 뜸해지는 가을부터 초겨울까지 어머니는 난로 옆자리에 방석을 깔고 앉아서는 잘 입지 않는 스웨터를 풀어 새 스웨터를 짰다. 어머니가 스웨터를 짤 즈음부터 우리는 모두 크리스마스 대목이 찾아오기를 간절히 기다리기 시작했다.

어머니도 그게 언제인지 정확하게 몰랐거나, 어머니는 말했는데 내가 너무 어렸던 탓으로 듣고는 잊어버렸던 모양이다. 좀 시간이 흐른 뒤에는 그런 일들이 더이상 궁금하지 않았다. 내 문제만으로도 정신이 없었다. 뉴욕제과점은 내가 태어나기 전부터 거기에 있었으니까 죽은 뒤에도 거기에 있을 것이라고 쉽게 생각했던 것 같다. 물론 인생은 그런 게 아니다.

이 글을 쓰느라 다시 곰곰이 생각해보니, 언젠가 어머니가 가게를 보느라 제과점 뒤에 딸린 골방에 갓난 누나를 혼자 내버려둔 적이 많았는데 그게 내내 미안했다고 말한 게 떠올랐다. 내가 태어났을 때 그런 방은 없었다.

"어디에 그런 방이 있었어요?"

난로에 언 발을 녹이고 있었거나 제과점 문을 들락거리면서

물었을 테다.

"저기 수족관 있는 데까지가 방이었어. 그때는 집이 없어갖꼬 한방에서 다 그래 잠도 자고 밥도 먹고 그랬거든. 호호호."

다행히 내가 태어났을 때만 해도 우리에게는 따로 살림집이 있었다. 그러니까 나만 빼놓고 우리 형제는 모두 뉴욕제과점에서 태어난 셈이다. 단팥빵이나 크림빵처럼. 미운 오리 새끼도 아니고 형제간에 그런 식으로 차이가 나다니 별로 기분좋은 일은 아니다. 누나는 1965년생이다. 그렇다면 뉴욕제과점이 문을 연 것은 1965년 이전의 일이 되는 셈이다. 월남 파병이 결정되고 이승만이 하와이에서 죽고 대학생들의 반대 속에 한일협정이 조인될 무렵이었다. 그 모든 일들이 내가 태어나기도 전에 다 일어났다. 그렇게 오래전부터 뉴욕제과점은 거기에 있었다. 나는 뉴욕제과점에서 태어나지도 않았는데, 사람들은 나를 뉴욕제과점 막내아들이라고 불렀다.

서울에서 우연히 고향 사람들을 만날 때면 지금도 간혹 뉴욕제과점 얘기가 나온다. 모두들 나보다 먼저 태어난 사람들이다. 역전에 있었다고 하면 대부분 기억해낸다.

"어머, 여고 시절에 거기서 미팅을 자주 했는데……"

언젠가 인사동 술집 울력에서 만난 한 시인이 내게 이렇게 말했던 것 같다. 그날 나는 술이 많이 취해 있었다. 나는 이렇게 얘기했으리라.

　"이젠 더이상 제과점을 하지 않아요."

　뉴욕제과점을 기억하는 고향 사람들에게 내가 늘 하던 말이다. 하지만 사람들이 내 말에 놀라거나 충격받는 경우는 거의 없다. 여학생 시절에 미팅까지 했던 곳이라면, 그리고 이제 더이상 그런 곳이 이 세상에 존재하지 않는다면, 그게 어째서 놀라거나 충격받을 만한 일이 아닐까? 나는 가끔 멍청한 표정으로 이런 생각에 잠겨 한참 고향 얘기에 열을 올리는 상대방을 당황하게 만들기도 한다. 고향 사람들과 얘기할 때, 나는 곧잘 문맥을 놓친다.

　나는 뉴욕제과점이 있었던 그 거리에서 사라진 상점을 모두 기억하고 있다. 상점과 함께 동네를 떠나버린 사람들도 모두 기억하고 있다. 나란 존재는 그 거리에서 배운 것들과 그 거리 밖에서 배운 것들로 이뤄진 어떤 것이다. 물론 그 거리에서 배운 것이 압도적으로 많다. 내 몸안에는 내가 어려서 본 상인들의 세계가 아직도 생생하게 남아 있다. 저마다 내걸었던 양철 간판

이나 형광등 간판이 어제 본 것처럼 또렷하다. 그 거리는 이제
이 세상에 존재하지 않는다. 지금 고향에 있는 거리는 예전에
내가 살았던 곳이 아니다. 어떤 의미에서 나는 실향민이나 마찬
가지다. 지물포와 철물상과 목재상과 신발가게와 중국집과 금은
방과 전당포와 양복점과 대폿집과 명찰가게와 다방재료상과 전
업사와 저울가게와 하숙집과 대서방과 도장가게가 있던 내 고
향은 영원히 사라졌다. 개발은 그 모든 작은 상점을 없애버렸다.
대단히 쓸쓸한 일이다. 죽음을 앞두면 자신의 삶을 처음부터
끝까지 다시 되돌아볼 기회가 찾아온다고 말하는 사람도 있던
데, 만약 그게 사실이라면 나는 다른 시절에 할애된 시간을 줄
여서라도 어렸던 그 시절 그 거리를 오랫동안 공들여 천천히 다
시 걷고 싶다. 하지만 다른 사람들은 나와는 생각이 많이 다른
모양이었다. 대놓고 물어보진 않았지만, 뉴욕제과점은 그저 학
창 시절에 미팅을 했던 장소 정도라 죽는 마당에 다시 가보고
싶은 마음은 전혀 없는 것 같았다. 그들로서는 당연한 마음이겠
지만, 나는 그런 사람들이 좀 야속하다.

  뉴욕제과점이 언제 문을 열었는지 나는 모르지만, 언제 문을
닫았는지는 안다. 내가 태어나기 오래전부터 존재했던 고향 거

리의 수많은 상점들처럼 뉴욕제과점은 새롭게 바뀐 환경에 적응하지 못하고 1995년 8월 결국 문을 닫았다. 어차피 인생은 그런 것이니까 이걸 비관적으로 생각해서는 안 된다, 고 몇 번이나 다짐했다. 나보다 먼저 세상에 온 것들은 대개 나보다 먼저 이 세상에서 사라진다. 정상적인 세상에서 정상적으로 일어나는 정상적인 일이다. 그러니까 뉴욕제과점이 이 세상에서 영영 사라지는 일도 그와 마찬가지다.

하지만 과연 그런 것일까? 그저 사라져버리면 그만일까?

나는 1994년 5월 26일자 새김천신문을 아직도 보관하고 있다. 거기에 다음과 같이 시작하는 기사가 실렸다.

'김천 출생의 김연수군(24세)이 시와 소설로 각각 등단한 것이 뒤늦게 밝혀졌다.'

나도 기자생활을 해봤으니 이제는 이게 얼마나 멋진 도입부인지 잘 안다. 뭔가 흥미진진한 내력이 숨어 있을 것만 같다. 하지만 기사는 왜 내 등단 사실이 '뒤늦게' 밝혀져야만 했는지 아무런 정보도 주지 않는다. 그저 '뒤늦게' 전해 들은 것뿐이다. 그 사실을 '뒤늦게' 전한 사람은 아버지였다. 아버지는 기사 중 다음 구절에 노란 형광펜으로 줄을 그었다.

'역전파출소 옆 뉴욕제과점이 집이기도 한 작가 김연수군 은……'

아버지는 가끔 그렇게 형광펜으로 줄을 그은 신문기사를 편 지봉투에 넣어 보내오곤 했다. 언젠가는 편지봉투를 뜯어보 니 조선일보 기사가 나왔다. 그때까지 나는 조선일보와 인터뷰 를 하거나 조선일보에 글을 실은 적이 없었다. 펼쳐보니 아쿠타 가와상을 수상한 유미리에 관한 기사였다. 아버지는 유미리라 는 이름에, 그리고 '방황과 절망이 빚어낸 문학성'이라는 홍사 중 씨의 칼럼 제목에 각각 붉은 형광펜 칠을 해놓았다. 동봉한 편지에 아버지는, '나는 너를 믿는다. 네 소신껏 희망을 갖고 밀 고 나가거라. 어짜피 人生이란 그런것이 아니겠냐'라고 써놓은 뒤, '아니겠냐'의 '겠'과 '냐' 사이에 'V자'를 그려놓고 '느'를 부기 했다. 그 편지를 읽을 때마다 나는 '아니겠냐'라고 쓴 뒤에 그게 마음에 들지 않아 중간에 '느'자를 삽입하는 아버지의 모습을 떠올린다. 아이가 생긴 뒤에야 나는 그게 얼마나 숭고한 일인지 알게 됐다.

인터뷰는 뉴욕제과점 수족관 뒤 어두운 자리에서 이뤄졌다. 갓난아기였던 누나가 혼자 울음을 터뜨렸던 곳이기도 하고 인

사동에서 만난 시인이 미팅을 한 자리이기도 했다. 그 자리는 무슨 까닭인지 남들 모르게 은밀히 빵을 먹으려는 사람들을 위한 곳이었다. 지금은 제과점에 이런 공간이 필요 없지만, 그때는 일반적이었다. 그 자리에 앉아 새김천신문에서 나온 사람과 오랫동안 얘기를 나눴다. 그 사람은 내 등단소설의 모더니즘 기법이 대단히 훌륭하다며 나를 추어올렸다. 대단히 훌륭하다니. 아마도 내 소설을 안 읽었던 모양이다. 나보다 스무 살 정도는 더 많아 보이는 그 사람 앞에서 나는 마늘을 다지듯이 '모더니즘이 아니라 포스트모더니즘'이라고 바로잡았다. 그 사람은 내 말을 받아 적었다. 우리 사이에는 어머니가 고른 단팥빵과 크림빵과 곰보빵이 은빛 쟁반에 놓여 있었다. 내가 좋아하는 빵들이었다.

나중에 나는 이 일을 두고두고 후회했다. 인생은 그런 게 아니었다. 점점 자기 그림자 쪽으로 퇴락해가는 뉴욕제과점 구석 자리에서 나이가 스무 살 정도는 더 많은 사람을 앞에 두고 앉아 '모더니즘이 아니라 포스트모더니즘'이라고 바로잡는, 그런 게 아니었다. 내가 자라는 만큼 이 세상 어딘가에는 허물어지는 게 있다는 사실을 깨닫는 게 바로 인생의 본뜻이었다. 아이가

자라나 어른이 되는 정도의 시간이면 충분했다. 그사이에 아무리 단단한 것이라도, 제아무리 견고한 것이거나 무거운 것이라도 모두 부서지거나 녹아내리거나 혹은 산산이 흩어진다. 그럴 때마다 내 안에서는 부식된 철판에서 녹이 떨어져나가듯이 검고 붉은 부스러기 같은 것들이 죽어서 떨어져나갔다. 밀려드는 파도에 모래톱이 쓸려나가듯이 자잘한 빛들이 마지막으로 반짝이면서 어둠 속으로 영영 사라졌다. 내가 태어나 어른이 되는 그 짧은 시간 동안에 말이다. 그런 줄도 모르고 '모더니즘이 아니라 포스트모더니즘' 운운하는 바보 같은 말을 서슴없이 내뱉던 때였으니까, 나중에 신문을 받아들고는 무슨 신문기사에 '역전파출소 옆 뉴욕제과점이 집이기도 한 작가' 같은 표현이 다 실릴 수 있을까, 하고 생각한 것은 당연했다. 하지만 그렇지 않다면 나는 또 누구란 말인가? 지금은 경기도에 사니까, 또 뉴욕제과점은 더이상 존재하지 않으니까 누군가를 만나 나를 소개할 때면 "소설을 쓰는 아무개입니다"라고 말하지만, 아직도 고향에서 나는 '역전 뉴욕제과점 막내아들'로 통한다. 이제는 죽어서 떨어져나간, 그 흔적도 존재하지 않는 자잘한 빛, 그 부스러기 같은 것이 아직도 나를 규정한다는 사실은 놀랍기만 하다. 눈에 보이지 않는다고 해서 사라졌다는 말은 아니다.

예나 지금이나 내가 뉴욕제과점 막내아들이었다는 사실을 알게 됐을 때, 사람들의 반응은 늘 똑같다. 다들 "빵 하나는 엄청나게 먹었겠구만"이라고 말한다. 그 부러워하는 표정을 볼 때만은 재벌 2세도 마다할 만하다. 우리 어렸을 때만 해도 빵의 지위는 그처럼 높았다. 덩달아 제과점 막내아들의 지위도 지금의 소설가 못잖았다. 당연하게도 나는 지금까지 살아오면서 다른 어떤 사람보다 더 많은 빵을 먹었다. 거의 매일같이 빵을 먹었다. 그러다보면 한 가지 깨닫는 게 생긴다. 생과자나 햄버거나 롤케이크처럼 비싼 빵은 매일 먹는 게 사실상 불가능하다는 점이다. 매일 먹을 수 있는 빵은 몇 가지 되지 않는다. 단팥빵, 크림빵, 곰보빵, 찹쌀떡, 도넛, 우유식빵 같은 제과점의 기본적인 빵에만 질리지 않을 수 있다. 아마도 짜장면과 짬뽕을 가장 즐겨 먹는 중국집 아이가 있다면 내 말이 무슨 뜻인지 이해할 것이다. 죽기 직전, 어렸을 때의 그 거리를 다시 한번 걸어갈 일이 생긴다면 내 손에는 단팥빵과 크림빵과 곰보빵과 찹쌀떡과 도넛과 우유식빵이 들려 있을 것이다.

하지만 처음부터 빵을 그렇게 마음대로 먹을 수 있었던 것은

아니었다. 나는 뉴욕제과점에서 빵을 훔쳐먹은 경험도 있다. 남들 듣기에는 버스 차장이 무임승차해본 적이 있다고 말하는 것이나 마찬가지니 고해소에 들어가 고백한다고 해도 그다지 설득력이 없는 얘기다. 하지만 사실은 사실이다. 어머니가 보지 않을 때, 빵을 집어서 도망쳤다. 내게 잘해주던 약국 형제가 있었는데, 그 형제에게 빵을 대접하고 싶었던 것이다. 아직 초등학교에도 들어가기 전이었으니 어머니는 막 사십대에 접어들고 있었을 테다. 그때는 마음대로 빵을 먹지 못했다. 뉴욕제과점 막내아들이라는 호칭이 무색할 정도였다.

"다른 사람도 아니고 아들 입으로 들어가는데, 그걸 못 먹게 해요?"

뉴욕제과점이 이 세상에서 영영 사라진 뒤에 내가 어머니에게 물은 적이 있었다.

"그때는 한푼이라도 아쉬웠거든."

어머니가 말씀하셨다. 젊었을 때 어머니는 막내아들이 먹을 빵까지 팔아서 악착같이 돈을 만드셨다.

어쨌든 그 시절에는 일본말로 '기레빠시'라는 것을 먹었다. 우리말로 하자면 자투리, 부스러기 정도가 맞을 것이다. 신문지를

깐 큰 철판에 반죽을 채워 가스오븐에 한참 구우면 철판 가득 카스텔라로 바뀌어 나온다. 때에 전 하얀 가운을 입은 제빵 기술자 형이 일하는 공장은 가스오븐의 열기 때문에 늘 후끈거렸다. 공장 안에는 내 아름만큼이나 큰 대형 선풍기가 있었지만, 여름에는 뜨거운 바람만 토해낼 뿐이었다. 기술자 형은 큰 배터리를 검정테이프로 붙여놓은 빨간색 트랜지스터 라디오에서 흘러나오는 아침 방송을 들으며 가스오븐에서 김이 모락모락 피어나는 카스텔라를 꺼내 밖으로 가져갔다. 잘 구워진 카스텔라의 표면은 코팅을 한 듯 저절로 생긴 기하학적 무늬가 그려져 반질반질했다. 오븐에 들어가기 전의 반죽과 오븐에서 구워진 빵은 같은 물질이라고 볼 수 없을 정도였다. 빵이 구워지는 모습을 나는 몇 번 정도나 봤을까? 한 오백 번 정도 봤을까, 천 번 정도 봤을까? 하지만 볼 때마다 그건 기적과도 같았다. 그런 일이 사람에게도 가능하다면 나도 기꺼이 가스오븐 안으로 들어가 뉴욕제과점 막내아들에서 미국 뉴욕의 실업가 아들 정도로 다시 나왔을 텐데. 그런 멍청한 상상이 한참 깊어질 무렵이면 밖에 내놓은 카스텔라도 웬만큼 식기 때문에 기술자 형은 신문지를 잡고 철판 밖으로 카스텔라를 꺼내 날은 없지만 무척이나 긴 제빵용 칼로 포장하기에 알맞은 크기로 잘라냈다. 가장 먼저 위

아래 좌우의, 조금 타서 딱딱한 부분부터 잘라냈다. 기레빠시는
이렇게 잘라낸 빵을 뜻했다. 모양 때문에 잘라냈지만, 가게에서
파는 카스텔라나 다름없기 때문에 그냥 버릴 수는 없는 노릇이
었다. 그렇다고 다른 사람에게 주기에는 모양이 너무 안 좋았다.
결국 기레빠시는 우리 형제들 차지로 돌아왔다. 계란과 박력분
이 범벅이 된 기레빠시의 맛은 아직까지도 혀끝에 생생하게 남
아 있다. 나는 단팥빵과 크림빵과 곰보빵과 찹쌀떡과 도넛과 우
유식빵에는 질리지 않았지만, 이 기레빠시에는 질려버리고 말
았다. 결국 우리 형제가 기레빠시에 손을 대지 않게 되자, 상하
기 직전의 기레빠시는 집에서 키우던 강아지의 차지가 됐다. 강
아지도 얼마간은 맛있게 먹었지만, 곧 기레빠시를 거들떠보지도
않게 됐다. 개들마저도 끝내는 알게 된다. 어차피 인생이란 그런
것이다. 과하면 질리게 된다.

한번은 친구들이 놀러왔다가 개 밥그릇에 놓인 기레빠시를
보게 됐다.
"어, 저게 뭐라?"
눈이 휘둥그레진 아이들이 물었다.
"기레빠시라."

기레빠시가 빵이라고 생각해본 적이 없었기 때문에 나는 무덤덤하게 대꾸했다.

"저거 카스텔라 아이가?"

"저거는 카스텔라가 아이고 기레빠시라 카는 거다. 카스텔라 부스러기다."

"부스러기는 카스텔라 아이가?"

며칠 뒤부터 학교에는 소문이 돌기 시작했다. 누구 집에서는 개도 카스텔라를 먹더라는 소문이었다. 지금도 그때의 초등학교 동기들을 만나면 이 얘기가 나온다. 지금도 나는 그게 카스텔라가 아니라 기레빠시라고 주장한다. 지금도 친구들은 그걸 카스텔라라고 기억한다. 뉴욕제과점에서는 개한테도 카스텔라를 먹였다, 고 친구들은 회상한다. 어쩐지 풍요로웠던 한 시절이 이로써 끝나버린 느낌이 든다.

2

서른이 넘어가면 누구나 그때까지도 자기 안에 남은 불빛이란 도대체 어떤 것인지 들여다보게 마련이고 어디서 그런 불빛이 자기 안으로 들어오게 됐는지 궁금해질 수밖에 없다. 자신

이 어떤 사람인지 알고 싶다면 한때나마 자신을 밝혀줬던 그 불빛이 과연 무엇으로 이뤄졌는지 알아야만 한다. 한때나마. 한때 반짝였다가 기레빠시마냥 누구도 거들떠보지 않게 된 불빛이나마. 이제는 이 세상 어디에서도 찾을 수 없는 불빛이나마.

내 마음을 풍요롭게 만든 것은 어디까지나 불빛들이었다. 추석 즈음 역전 근처 평화시장에 붐비던 노점상의 카바이드 불빛과 상점마다 물건을 쌓아놓은 거리에 내걸렸던 육십 촉 백열등의 그 오렌지 불빛들, 혹은 크리스마스 가까울 무렵이면 상점 진열창마다 서로의 빛 속으로 스며들며 반짝이던 울긋불긋한 불빛들이나 역전에 모여든 빈 택시들의 차폭등과 브레이크등이 내뿜던 붉은 불빛, 또 귀성열차가 도착하기만을 손꼽아 기다리면서 운전사들이 피우던, 그만큼이나 붉었던 담배 불빛들. 그 가물거리는 것들. 내 기억 속에서 그 불빛들이 하나둘 켜지면 절로 행복한 마음에 젖어들게 된다. 어두운 역전 밤거리에 붐비던 그 불빛들은 따스했다. 우리가 지금 대목을 지나가고 있음을 알려줬으니까. 사람들이 줄지어 선 서울역 광장이나 꼬리에 꼬리를 물고 빠져나가는 귀성버스를 향해 손을 흔드는 구로공단 사람들의 모습을 담은, 저녁 거리를 향해 놓인 금성대리점

의 컬러텔레비전. 대목 장사를 바라고 제과회사나 양조회사에서 공짜로 나눠주는 조잡한 디자인의 포장지에 일률적으로 포장한 뒤 상점 앞에 산더미처럼 쌓아놓은 종합선물세트, 혹은 경주법주나 백화수복 같은 것들. 서울이나 울산이나 대전이나 대구 같은 대도시 생활의 고단한 표정일랑 빈집에 남겨두고 내려온 귀성객들이 홍조 띤 얼굴로 말끄러미 들여다보던 선물세트 견본품 비닐 위에서 번득이던 백열등. 명절 특별 수송 기간을 맞이해 상점 진열창보다도 더 큰 널빤지에 만든 임시 시각표를 들고 와 대합실 입구 옆에다 세워놓던 역 노무자들의 주름진 얼굴. 그 모든 광경은 여전히 내 마음속에서 반짝인다. 지금도 그때 일을 생각하면 풀풀풀 가슴 한켠에서 불빛이 날리듯 반짝인다.

또 이런 기억도 있다. 다락에는 낡은 옷가지를 넣어두는, 종이로 만든 사각형 의류함이 있었다. 모두 두 개였는데, 그중 하나에 크리스마스 장식물 박스가 들어 있었다. 크리스마스가 다가오면 우리는 그 장식물 박스를 의류함에서 꺼냈다. 아버지가 미군 PX를 통해 구입했다는 비싼 장식물들이 그 안에 가득했다. 색깔공도 진짜 크리스털이었고 금은색 별도 대단히 정교했다.

아버지가 평소에는 살림집 이층에서 키우던 어린 전나무를 가져오면 우리 형제는 그 나무에 둘러서서 먼저 꼬마전구를 두른 뒤에 색동 지팡이나 빨간 구두 같은 장식물과 형형색색으로 반짝이는 줄을 내걸었다. 크리스마스트리를 모두 꾸미고 나면 가게 군데군데 남은 색줄을 늘어뜨리고 크리스털 공을 매달았다. 난로 주위로 늘어진 줄들은 어린 스티븐슨이 증기기관의 원리를 발견할 때의 에피소드를 연상시키며 뜨거운 열기에 저 혼자서 흔들리곤 했다. 약국에서 탈지면을 사와 눈처럼 만들어 창에다 붙이고 가게문에다 'Merry Christmas'라는 글자와 천으로 만든 호랑가시나뭇잎과 종이로 만든 은종이 맵시 좋게 어울린 화환을 내걸면 크리스마스 준비는 모두 끝났다. 온갖 크리스마스 장식물로 꾸며진 뉴욕제과점은 가스오븐에 들어갔다가 나온 카스텔라 같았다. 문을 열고 들어서면 가게 안의 모든 것들이 불빛을 반짝이느라 정신이 없었다. 어머니도, 우리도, 탁자도, 수족관도, 진열된 빵들도 모두 저마다 빛을 발했다. 크리스마스이브가 되면 거의 십 분에 한 번씩 케이크를 사러 오는 사람들이 있었으니까 빛을 발하는 것은 당연했다. 보통때는 하루에 서너 개, 많아야 대여섯 개 정도만 팔렸으니까 엄청난 일이었다. 어머니는 삼백 개는 족히 넘을 만큼 케이크를 준비했지만,

사람들에게 아직도 팔아야 할 케이크가 많다는 느낌을 주고 싶지는 않았던 모양이다. 가게에 조금만 갖다놓고 팔리는 족족 우리가 옥상에서 케이크를 가져왔다. "5호 다섯 개하고 4호 세 개 가져와라"라고 외치던 어머니의 목소리에는 힘이 넘쳤다. 대목이 지나면 한동안 돈이 궁해질 수밖에 없었으니까 어찌됐건 힘을 내야만 했다.

내게 보낸 편지에 '어짜피 人生이란 그런것이 아니겠느냐'라고 아버지는 쓰고 싶었던 모양이다. '아니겠냐'와 '아니겠느냐'가 어떻게 다른지 나는 아직도 모르고 있다. 세월이 흘러서 나도 내 아이에게 용기를 북돋아주기 위한 편지를 쓸 때쯤이면 그 차이를 알게 될지도 모르겠다. 그때는 나도 왜 아이는 자라 어른이 되는지, 왜 세상의 모든 불빛은 결국 풀풀풀 반짝이면서 멀어지는지, 왜 모든 것은 기억 속에서만 영원한 것인지 깨닫게 될 것이다. 내 다음 아이들이 자라게 되면, 그 아이들이 어른이 되면. 그 정도의 짧은 시간만 흐르고 나면 나도 '아니겠냐'와 '아니겠느냐'의 차이를 알게 될 것이다. 그러니까 지금부터 하는 얘기는 짧았던 뉴욕제과점의 전성기가 끝난 뒤에 벌어진 일들이다. 내가 아이에서 등단 사실이 뒤늦게 알려진 청년이 되기까지 뉴욕

제과점 그 빛이 내 마음속으로 들어오는 과정을 담은 얘기다.

"자, 어떤 걸로 사면 좋겠나?"

아버지가 제과점용 진열장 카탈로그를 우리에게 보여주면서 말했다. 코팅지로 만든 카탈로그에는 미끈하게 생긴 다양한 제과점용 진열장 사진이 인쇄돼 있었다. 그때까지 어머니는 나무 진열장을 사용하고 있었다. 백열등이라 빵이 탐스럽게 보이지 않는데다가 접촉 부분이 닳은 나무문에서는 밀고 닫을 때마다 끽끽 비명소리가 들렸다. 냉장 장치도 없어 더운 여름날이면 케이크를 냉장고에다 넣어둬야 했고 제대로 닫히지 않는 문은 쥐들도 쉽게 열 수 있을 정도였다. 그런 형편이었으니 카탈로그에 실린 진열장은 어떤 것이라도 좋았다.

"이것도 괜찮고 저것도 좋고……"

아버지는 아마도 미리 가격과 쓰임새를 알아봐 구입할 모델을 점찍어두고 있었을 것이다. 하지만 우리 형제는 하나같이 금빛, 은빛 불빛을 번득이는 최신형 진열장을 꼼꼼히 살폈다. 카탈로그에 실린 진열장은 정말 근사했다. 냉장 기능을 갖춘 데다가 잘못하면 불꽃이 튀는 플러그를 매번 꽂았다가 뽑았다 할 필요도 없이 스위치만 누르면 환한 불을 밝힐 수 있었으며 프레임을 철재로 만들어 나무 진열장에 길들여진 쥐들은 체력단련

을 새로 하지 않는 한, 침으로 수염을 적시며 하염없이 바라보고만 있을 게 틀림없었다. 아버지는 유선형으로 약간 경사가 진 케이크 진열장과 묵직해 보이는 원목 느낌의 빵 진열대를 구입하기로 결정했다. 그 김에 탁자와 의자도 바꾸기로 했으며 손으로 돌리던 빙수기계도 자동형으로 교체했고 식빵 자르는 기계도 구입했다. 그러니까 제5공화국도 막바지로 치닫느라 그 조그만 도시에서도 국민본부가 결성되는 등 사회가 어수선하던 무렵이었다.

　내가 아는 한, 뉴욕제과점은 세 번에 걸쳐서 변화의 기회를 맞이했다. 처음 기회는 박정희가 죽고 난 뒤에 찾아왔다. 빵이라면 고급 생과자만을 생각하던 사람들도 그즈음부터 일상적으로 빵을 사 먹기 시작했다. 근검절약과 저축을 미덕으로 내세우던 시대가 지나가고 레포츠니 마이카니 하는 신조어와 함께 소비가 미덕인 시대가 찾아온 것이다. 내 마음속에 지금도 남은 불빛들은 모두 그즈음 뉴욕제과점 전성기 시절의 것들이다. 설날에는 선물용 롤케이크와 케이크를, 2월 발렌타인데이에는 초콜릿을, 3월 화이트데이에는 사탕 꾸러미를, 6월부터는 빙수를, 추석에는 다시 선물용 롤케이크와 케이크를, 입시 무렵에는 찹쌀떡을, 동지 무렵에는 단팥죽을, 크리스마스에는 케이크를 팔

았다. 그 시절, 어머니는 그 대목들을 하나도 놓치지 않았다.

두 번째 기회는 제5공화국이 끝나갈 때쯤 찾아왔다. 이제 뉴욕제과점에서 대목 장사의 몫은 점점 줄어들기 시작했다. 손님들은 최신식 인테리어를 갖춘 제과점을 선호하기 시작했고 바게트, 피자빵, 야채빵 등 서울에서 전해온 새로운 종류의 빵을 찾기 시작했다. 기술자 형은 『월간 베이커리』에 실린 조리법을 한참 들여다보기도 하고 시내의 다른 기술자나 대구의 기술자들에게 직접 배우기도 하더니 피자빵, 야채빵, 밤빵, 옥수수식빵 따위의 새 메뉴를 만들어냈다. 하지만 바게트만은 끝내 만들지 못했다. 조리법대로 만들긴 했는데, 바게트 특유의 바싹바싹하고 질긴 느낌이 나지 않아서 결국 포기하고 말았다. 그렇긴 해도 뉴욕제과점은 나름대로 성실하게 두 번째 기회를 맞이할 준비를 마친 셈이었다.

그러나 뉴욕제과점은 그 두 번째 기회를 첫 번째 기회만큼 제대로 맞이하지 못했다. 바게트를 만들지 못해서도 아니었고 대목이 사라졌기 때문도 아니었다. 사실상 뉴욕제과점을 이끌었던 어머니가 자궁암 판정을 받고 병원에 입원했기 때문이었다. 나는 가족 중 누구에게서도 수술의 성공 확률에 대해 들어본

023

적이 없었다. 왜 그런지 그때의 기억은 제대로 남아 있지 않다. 스스로 지워버린 것일까, 아니면 기억에 남겨둘 만큼 심각한 일이 아니라고 생각했던 것일까? 그저 학교와 집만 오간 것은 아닐까 하고 추측할 뿐이다. 가게는 누나가 지켰으며 아버지는 수술을 앞둔 어머니가 있는 대구 병원에 내려가 있었다. 가끔 휴일이면 누나를 대신해 혼자서 뉴욕제과점을 볼 때도 있었다. 나는 빵 가격을 제대로 알지 못했기 때문에 내키는 대로 빵을 팔곤 했다. 끝내 팔기 곤란하다는 생각이 들면 저는 잘 모르니까 나중에 어머니 있을 때 사세요, 라고 말하며 손님을 돌려보냈다. 하지만 어머니가 다시 올지 안 올지 나로서는 알 수 없었다. 어머니는 거의 혼자서 뉴욕제과점을 지켜왔다. 어머니가 없는 뉴욕제과점이라는 게 도대체 무슨 의미가 있는지 알 수 없었다. 새 진열장과 기계를 갖춘 뉴욕제과점은, 그러나 금방이라도 무너져내릴 듯 음산해졌다. 공정하게 한가운데를 달린다고 했을 때, 예감은 좋은 일과 나쁜 일 중 나쁜 일 쪽으로 곧잘 쓰러지곤 했다. 추억이 곧잘 좋은 일 쪽으로만 내달리는 것과는 참 다르다. 많이 다르다.

그러므로 삶이란 추억으로만 얘기하는 게 좋겠다. 어찌된 일

인지 기억나는 것은 대구역에 도착해 이모들과 함께 올라탄 택시에서 들리던 라디오방송이다. 남녀가 나와 만담하듯 한없이 이런저런 얘기를 나누면서 오후의 한가한 시간을 메우는, 그런 종류의 프로그램이었다. 동성로니 서문시장이니 하는 대구의 지명도 기억이 난다. 이모들은 집안 얘기를 하고 있었던 것 같다. 모르겠다. 아무런 얘기도 하지 않았던 것인지도. 나는 낯선 대구 시내를 바라보며 자꾸만 지직거리던 라디오방송에 귀를 기울이고 있었다. 요새도 나는 한가한 오후에 만담식 라디오 프로그램을 틀어놓은 택시를 타고 낯선 동네를 지나갈 때면 그때 생각을 한다. 이 현실에서 다른 현실로 빠져들어가는 터널을 지나가는 듯한 느낌이 든다. 병원에 갔더니 어머니는 파리한 얼굴로 누워 있었다. 나는 이모들이 내미는 쌕쌕인가 봉봉인가 하는 음료수를 마셨고 이내 병실에서 나와 복도를 걸었다. 병원의 복도는 베이지색이었지만 그늘진 곳은 밤색에 가까웠다. 복도의 끝에는 중정中庭으로 나가는 나무문이 있었다. 뉴욕제과점보다도 더 오래전에 지어진 병원이었다. 나는 한참 동안이나 뜰에 심어놓은 나무와 풀 같은 것들을 바라보면서 서 있었다. 햇살을 받고 서 있었는지, 바람은 불어왔는지 아무런 기억이 없다. 다만 그 나무와 풀 같은 것들을 예전과 마찬가지로 바라볼 수 있게

됐다는 사실이 고마울 뿐이었다는 기억밖에. 그러니까 어머니는 혼자서 위험한 고비를 넘어온 것이다. 추석이나 크리스마스 대목을 넘어가듯이 말이다.

그렇게 해서 나는 뉴욕제과점 막내아들로 남을 수 있게 됐다.

3

몇 해 전까지만 해도 나는 여름이면 빙수를 직접 만들어 먹었다. 제과점에서 빵은 잘 사먹는 편인데 빙수만은 절대로 사먹지 않는다. 빙수의 생명은 팥소에 있는데, 요즘에는 이 팥소를 직접 만드는 집이 없기 때문이다. 빙수는 곱게 간 얼음에 팥소만 끼얹어서 먹는 게 가장 맛있다. 그래서 빙수 하면 첫 번째가 팥소맛이고 두 번째가 정말 눈처럼 얼음을 잘게 갈 수 있는 빙수기계의 칼날 맛이다. 여름이면 나도 가게에서 빙수를 꽤나 많이 팔았다. 가장 기록적인 날은 1994년 여름방학 때 찾아왔다. 그러니까 내가 시와 소설로 등단했다는 사실이 '뒤늦게' 고향에 알려진 바로 그해다. 그 여름은 꽤나 무더웠던 모양이다. 매일 빙수 파는 양이 늘어나다니 어느 날은 결산해보니 134그릇이나

판 것으로 나왔다. 그 사실을 알고 내가 얼마나 흥분했는지 모른다. 당장이라도 어머니에게 자랑하고 싶었지만, 그해 여름에도 어머니는 연례행사처럼 병원에 입원중이었다. 나는 나중에 어머니가 퇴원하면 자랑하려고 그 숫자를 암기했다. 134그릇. 정말 대단한 숫자였다.

"그래, 많이 팔았네."

며칠 뒤, 대구의 병원으로 내려간 내가 숫자를 말하자 어머니가 누워서 피식 웃었다.

"이제까지 하루 동안 빙수 판 것 중에서 제일 많이 판 거 아니에요?"

"그거보다는 내가 더 많이 팔았지."

"몇 그릇이나 팔았는데요?"

"옛날에는 얼마나 많이 팔았다구. 여름에 빙수 팔아가지고 가을에 너희들 학교도 보내고 옷도 사 입히고 그랬으니까 얼마나 많이 팔아야 됐겠냐?"

나는 보호자용 침대에 앉아 떨어지는 링거 방울을 바라보고 있었다.

"엄마, 이제 가게 그만해요."

"니가 아직 대학교도 졸업하지 못했는데, 가게 그만두면 니

등록금은 어떻게 마련하냐?"

"내가 글 써서 벌면 되지."

"하이구, 돈 버는 게 그렇게 쉬운 줄 아나? 형하고 누나도 대학교 등록금은 내가 벌어서 댔으니까 너도 학비는 대줄게. 그다음부터는 니가 벌어서 살아라."

어머니가 웃으며 말했다. 수술을 받은 뒤로 어머니는 사소한 일에도 웃음을 터뜨렸다. 내가 어머니에게서 받은 것들 중에서 제일 훌륭한 것은 대학교 등록금이 아니라 그 웃음이라고 말하면 어머니는 서운해할까? 결국 나는 대학교를 졸업할 때까지 어머니에게서 등록금을 받아야만 했다. 그리고 그다음부터 정말 어머니는 돈을 주지 않았다. 대학 졸업 뒤, 한 해 동안 나는 여기저기 굉장히 많은 글을 썼는데, 번 돈이 전성기 때 뉴욕제과점 대목 장사는커녕 며칠 번 돈만큼도 되지 않았다. 갑자기 겁이 덜컥 났다.

내가 아는 한 마지막 기회가 뉴욕제과점에 찾아왔다. 김영삼 대통령이 세계화를 주창할 때만 해도 그게 무슨 소리인지 알 수 없었는데, 파리크라상이나 크라운베이커리 같은 대기업에서 운영하는 빵집이 그 작은 도시에도 생기고 나서야 우리는 그게

무슨 뜻인지 알 수 있었다. 내가 봐도 그런 가게에서 파는 빵과 비교해 뉴욕제과점의 빵은 형편없었다. 뉴욕제과점과 함께 빵 장사를 시작했던 다른 가게들이 하나둘 파리크라상이나 크라 운베이커리 같은 가게로 바뀌거나 업종을 전환했다. 그러나 뉴 욕제과점은 꿋꿋하게 1980년대풍으로 그 자리를 지켰다. 이젠 더 이상 새롭게 바뀔 만한 능력이 없었기 때문이었다. 뉴욕제과 점은 우리 삼남매가 아이에서 어른으로 자라는 동안 필요한 돈 과 어머니 수술비와 병원비와 약값만을 만들어내고는 그 생명 을 마감할 처지에 이르렀다. 어머니는 며칠에 한 번씩, 팔지 못 해서 상한 빵들을 검은색 비닐봉투에 넣어 쓰레기와 함께 내 다 버리고는 했다. 예전에는 막내아들에게도 빵을 주지 않던 분 이었는데, 기레빠시도 버리지 않고 다 먹었던 분이었는데. 그 모 습을 바라보는 심정은 매우 처참했다. 어차피 인생은 그런 것이 었던가? 어머니의 자존심은 빵을 팔지 못해서 버린다는 사실을 남들이 눈치채지 못하도록 비닐봉투에 꽁꽁 묶어서 버리는 정 도로만 남아 있었다. 그나마도 집 잃은 고양이들이 빵냄새를 맡 고 쓰레기봉투를 죄다 뒤져놓아 청소차가 다니는 새벽이면 가 게 앞 거리에 빵 봉지가 난무했기 때문에 눈치채지 못할 사람 이 없었다.

그래도 어머니는 가게를 그만두겠다는 말만은 하지 않았다. 그저 내게 말한 것처럼 어느 해 여름에는 빙수를 얼마나 많이 팔았었는지, 어느 해 크리스마스에는 케이크를 얼마나 많이 팔았었는지, 어떤 기술자가 얼마나 속을 썩였는지 그런 말씀뿐이었다. 하지만 시간이 흐를수록 어머니도 당신이 문을 연 뉴욕제과점이 이제 그 생명을 다했다는 사실을 납득하는 것 같았다. 그런 사실을 납득한다는 건 과연 어떤 기분일까? 나로서는 상상이 가질 않는다.

　대학을 졸업한 그해, 처음으로 돈을 벌기 위해 아등바등 애를 쓰던 어느 날 고향에서 전화가 왔다. 뉴욕제과점을 다른 사람에게 팔았다는 소식이었다. 새로 인수한 사람은 그 자리에 기차 승객들을 상대로 한 24시간 국밥집을 차린다고 했다. 나는 잘됐다고 말했다. 뉴욕제과점이 문을 열 때도 나는 거기에 없었는데, 문을 닫을 때도 그 광경을 보지 못했다. 나는 국밥집이 된 뉴욕제과점 자리를 상상해봤다. 잘 상상이 되지 않았다. 이제 이 세상 어디에도 뉴욕제과점은 없다고 생각하니 조금 쓸쓸한 기분이 들었다. 하지만 그렇게 심각하게 생각하지는 않았다. 역시 그 당시 내가 처한 문제만으로도 걱정할 일은 많았기 때문

이다. 그 얼마 뒤, 살던 집마저도 역전에서 시 외곽으로 이사했다. 가끔 고향에 내려가면 도무지 내가 살던 동네가 아닌 것만 같다. 나는 이제 기차에서 내리면 곧장 택시를 잡아타고 예전에 논이 펼쳐졌던 자리에 새로 건설된 아파트촌으로 직행한다. 24시간 국밥집으로 바뀐 뒤로 뉴욕제과점이 있던 곳으로는 한 번도 가지 않았다.

어느 날인가 나는 문득 이제 내가 살아갈 세상에는 괴로운 일만 남았다는 생각을 하게 됐다. 앞으로 살아갈 세상에는 늘 누군가 내가 알던 사람이 죽을 것이고 내가 알던 거리가 바뀔 것이고 내가 소중하게 여겼던 것들이 떠나버릴 것이기 때문이다. 단 한 번도 그런 생각을 해본 적이 없었는데, 문득 그런 두려움에 사로잡혔다. 그러면서 자꾸만 내 안에 간직한 불빛들을 하나둘 꺼내보는 일이 잦다는 사실을 깨닫게 됐다. 사탕을 넣어둔 유리항아리 뚜껑을 자꾸만 열어대는 아이처럼 나는 빤히 보이는 그 불빛들이 그리워 자꾸만 과거 속으로 내달았다. 추억 속에서 조금씩 밝혀지는 그 불빛들의 중심에는 뉴욕제과점이 늘 존재한다. 내가 태어나서 자라고 어른이 되는 동안, 뉴욕제과점이 있었다는 사실이 내게는 얼마나 큰 도움이 됐는지 모른다.

그리고 이제는 뉴욕제과점이 내게 만들어준 추억으로 나는 살아가는 셈이다. 이 세상에 존재하지 않는 뭔가가 나를 살아가게 한다니 놀라운 일이었다. 그다음에 나는 깨달았다. 이제 내가 살아갈 세상에 괴로운 일만 남은 것은 아니라는 사실을. 나도 누군가에게 내가 없어진 뒤에도 오랫동안 위안이 되는 사람으로 남을 수 있게 되리라는 것을 알게 됐다. 삶에서 시간이 아무런 의미가 없다는 사실을, 그저 보이는 것만이 전부는 아니라는 사실을, 이 세상에서 사라졌다고 믿었던 것들이 실은 내 안에 고스란히 존재한다는 사실을 나는 깨닫게 됐다. 그즈음 내게는 아이가 생겼다. 내가 이 세상에서 사라지고 나서도 아주 오랫동안 그 아이가 나 없는 세상을 살아갈 것이라는 사실을 나는 '상식적으로' 받아들일 수 있게 됐다.

어느 해 추석이었던가 설날이었던가, 고향 친구들과 술을 많이 마시고 집으로 돌아가는 길이었다. 꽤나 늦은 시간이었다. 문득 24시간 국밥집이 떠올랐다. 나는 얼마간 망설인 뒤에 그 집에 가보기로 결심했다. 김천역을 빠져나오면 역전 광장 왼쪽에 뉴욕제과점이 있었다. 양옆에 새시로 만든 진열창이, 그 가운데 역시 새시로 만든 출입문이 있었다. 출입문 오른쪽에는 스티로

폼으로 만든 모형 케이크를 늘 진열해놓았고 왼쪽에는 주방이 있었다. 오후면 기울어진 햇살이 들어오는 바람에 차양을 드리워야 했다. 가게를 볼 때, 나는 오후 네 시경이면 줄을 풀어 초록색 차양을 드리웠었다. 출입문을 열고 들어가면 왼쪽으로 80년대 후반에 새로 들여놓은 최신형 케이크 진열대가, 오른쪽으로 개방된 형태의 빵 진열대가 있었다. 한쪽에는 위로 문을 여닫는 아이스크림 냉동고가 있었고 들어가는 길 맞은편에는 식빵, 롤케이크, 밤빵, 피자빵 등 좀 덩치가 큰 빵과 사탕 따위를 놓아두는 진열대가 하나 더 있었다. 거기를 돌아 들어가면 1번부터 9번까지 테이블이 있었다. 8번과 9번은 수족관 뒤에 있었기 때문에 들어가면서는 잘 보이지 않았다. 출입문의 정반대편 벽에는 컬러 방송이 처음 시작된 해에 구입했던 텔레비전이 높이 설치한 받침대에 놓여 있었다. 어머니는 늘 케이크 상자나 포장용 비닐을 쌓아두는 1번 테이블 한쪽에 앉아서 낮에는 출입문 쪽을, 밤에는 텔레비전 쪽을 바라보고 있었다. 내 마음속에 영원히 남은 뉴욕제과점의 모습은 그와 같았다. 24시간 국밥집에 들어간 나는 옛날로 치자면 2번 테이블이 있던 곳쯤 돼 보이는 자리에 앉아 국밥이 나오기만을 기다리고 있었다. 텔레비전도 옛날 그 받침대에 놓여 있었고 바닥의 무늬도 그대로였으며

033

나무 장식의 천장도 마찬가지였다. 내 눈길이 닿는 모든 곳에서 나는 우리 가족의 모습을 볼 수 있었다. 그곳에서 나는 어린아이였다가 초등학생이었다가 걱정에 잠긴 고등학생이었다가 자신만만한 신출내기 작가였다가 빙수 판매 신기록을 세운 대학생이기도 했다. 그리고 나는 더이상 고개를 들고 실내를 바라볼 수 없었다. 이윽고 국밥이 나왔고 나는 내내 고개를 숙이고 국밥을 먹었다. 국밥은 따뜻했다. 나는 셈을 치른 뒤, 새시문을 열고 밖으로 나왔다. 역전 거리의 불빛들이 둥글게 아롱져 보였다.

세상을 살아가는 데 그렇게 많은 불빛이 필요한 것은 아니다. 그저 조금만 있으면 된다. 어차피 인생이란 그런 게 아니겠는가.

韓国文学ショートショート
きむ ふなセレクション 15
ニューヨーク製菓店
せい か てん

2021年12月24日　初版第1刷発行
2023年10月31日　第2刷発行

〔著者〕キム・ヨンス（金衍洙）

〔訳者〕崔真碩

〔校正〕嶋田有里

〔ブックデザイン〕鈴木千佳子

〔DTP〕山口良二

〔印刷〕大日本印刷株式会社

〔発行人〕　永田金司　金承福

〔発行所〕　株式会社クオン

〒101-0051　東京都千代田区神田神保町1-7-3 三光堂ビル3階

電話 03-5244-5426　FAX 03-5244-5428　URL http://www.cuon.jp/